流星·蝴蝶·剑 上

古 龙 著

河南文艺出版社
·郑州·

古 龙

1938—1985

作为华语小说界一代宗师，“古龙”二字本身已成为一个文化符号。

古龙以惊人的才华，创作出《小李飞刀》《陆小凤》《楚留香》等七十多部精彩绝伦的经典。这些作品中涌动着永恒的热血、自由和生命力，不仅征服了一代代读者，更引发了巨大的文化浪潮，被无数次改编为影视、游戏、动漫，风靡整个中文世界，半个世纪风行不衰。

古龙为人，像他笔下的英雄们一样，豪气干云、放浪形骸、嗜酒如命、风流倜傥。其传奇一生的尽头，在医生下达严禁饮酒的告诫之后，豪饮三天三夜，大醉归西。

古龙是孤独的，一颗滚烫狂放的自由灵魂，与冷漠的现实世界显得那么格格不入；古龙又是幸运的，无数读者通过他的作品与他成为了知己。

中文世界如果没有古龙，将多么寂寞！没有读过古龙的人生，将多么寂寞！

目　录

第一章

杀手行动

流星的光芒虽短促，但天上还有什么星能比它更灿烂、辉煌！

当流星出现的时候，就算是永恒不变的星座，也夺不去它的光芒。

蝴蝶的生命是脆弱的，甚至比最鲜艳的花还脆弱。

可是它永远只活在春天里。

它美丽，它自由，它飞翔。

它的生命虽短促却芬芳。

只有剑，才比较接近永恒。

一个剑客的光芒与生命，往往就在他手里握着的剑上。

但剑若也有情，它的光芒是否也就会变得和流星一样短促？

流星划过夜空的时候，他就躺在这块青石上。

他狂赌，酗酒。

他嫖，在他生命之中，曾经有过各式各样的女人。

他甚至杀人！

但只要有流星出现，他都很少错过，因为他总是躺在这里等，只要能感觉到那种夺目的光芒，那种辉煌的刺激，就是他生命中最大的欢乐。

他不愿为了任何事错过这种机会，因为他生命中很少有别的欢乐。

他也曾想抓一颗流星，当然那已是很久以前的事了。现在他剩下的幻想已不多，几乎已完全没有幻想。

对他这种人来说，幻想，不但可笑，而且可耻。

这也就是世界上最接近流星的地方。

山下小木屋的灯光还亮着，有风吹过的时候，偶尔还会将木屋中的欢笑声、碰杯声，带到山上来。

那是他的木屋，他的酒，他的女人！

但他却宁可躺在这里，宁可孤独。

天上流星的光芒已消失，青石旁的流水在呜咽，狂欢的时候已经过去了，现在他必须冷静，彻底地冷静下来。

因为杀人前必须绝对冷静。

他现在就要去杀人！

他并不喜欢杀人。

每当他的剑锋刺入别人的心脏，鲜血沿着剑锋滴下来的时候，他并不能享受那种令人血脉偾张的刺激。

他只觉得痛苦。

但无论多深邃、多强烈的痛苦他都得忍受。

他非杀人不可。

不杀人，他就得死！

有时一个人活着并不是为了享受欢乐，而是为了忍受痛苦，因为活着也是种责任，谁也不能逃避。

他开始想起第一次杀人的时候。

洛阳，是个很大的城市。

洛阳城里有各种人，有英雄豪杰，有骚人墨客，有的豪富，有的贫穷，还有两大帮派的帮主、三大门派的掌门人住在城里。

但无论谁的名声都不如“金枪李”那么响亮，无论谁的产业都没有金枪李一半多，无论谁也无法抵挡金枪李的急风骤雨七七四十九枪。

他第一次杀人，就是金枪李。

金枪李的财富和名声并不是天上掉下来的，所以他有很多仇人，多得连他自己都记不清。

但却从没有一个人妄想来杀他，也没有人敢。

金枪李手下有四大金刚、十三太保。每个人的武功都可说是江湖中第一流的，还有两个身长八尺的力士为他扛着金枪。

这些人经常寸步不离他左右。

他自己身上穿着刀枪不入的金丝甲，别人非但无法要他的命，根本无法近他的身。

就算有人武功比他高，要杀他，也得先突破七道埋伏暗卡，进入他住的金枪堡，打退围拥在他四周的力士、四金刚、十三太保，然后一剑刺入他的咽喉，绝不能刺在别的地方。这一剑绝不能有丝毫错误，绝不能慢半分。因为你绝不可能有第二次机会。

没有人想去刺这一剑，没有人能办得到。

只有一个人能办得到，这人就是“他”，就是孟星魂。

他先花了半个月的工夫将金枪李的生活环境、生活习惯、左右随从，甚至连每天的一举一动都打听得清清楚楚。

他又花了一个月的工夫混入金枪堡，在大厨房里做挑水的工人。

然后，他再花一个半月的工夫等待。

什么事都容易，等却不容易，金枪李就像是一个冷淡而贞洁的处女，永远不给任何人一次侵犯他的机会，甚至连洗澡、上厕所的时候，他身旁都有人守护。

可是，只要能等，机会迟早总会来的——处女总有做母亲的时候。

有一天，狂风骤起，吹落了金枪李头上的高冠，紧贴在他身旁的四个人同时抢着去追。

金枪李的目光也跟随着被风吹走的帽子。

在这一刹那间，没有人留意别的，因为这一刹那实在太短，没有人能把握住这一刹那机会的。

所以他们疏忽了，他们认为这根本没有什么值得担心的。

孟星魂就在这一瞬间冲了过来，斜剑一刺。

只一刺！

剑往金枪李左颈后的血管刺入，右颈前的喉管刺出！

剑立刻拔出。

鲜血激飞，雾一般的血珠四溅。

血雾迷漫了每个人的眼睛，剑光惊飞了每个人的魂魄！

血雾散开的时候，孟星魂已到十丈外。

没有人能形容他身法的速度，同时更没有人能形容这一剑的速度。

据说金枪李入殓的时候，眼睛还是瞪着的，目中还是充满了怀疑和不信。

他不信自己也会死！

他死也不信有人能杀得了他。

金枪李的死讯立刻震动了天下，但孟星魂的名字却还是默默无闻。

因为谁也不知道是什么人下的毒手。

有人发誓要找到这“凶手”，为金枪李报仇。

有人发誓要找到这“救星”，跪下来吻他的脚，感激他为江湖除了一害。

还有些一心想成名的少年剑客，也在找他，却只不过是想跟他斗一斗，比比看是谁的剑快。

这些他全不在乎。

杀了人后，他就一个人跑回那孤独的小木屋，躲在屋角流着泪呕吐。

到现在，他虽已不再流泪，无泪可流，但每次杀了人后，每次看到剑锋上的血渍的时候，他还是忍不住要一个人躲着偷偷呕吐。

杀人前，他是完全冷静，绝对冷静，极端冷静的。

可是杀人后，他就再也不能控制自己。

他必须狂赌，酗酒，烂醉，去找最容易上手的那个最好看的女人，来将杀人的事忘却。他很难忘却，甚至根本无法忘却。

所以他只有继续不停地狂赌，酗酒，继续不停地找女人。

直到他下一次杀人的时候。

那时他就会一个人跑到山上，在流水旁的青石上躺着，什么事都不做，什么事都不想。

他不能想，也不敢想。

他只是勉强地使自己冷静下来，好去杀另一个人。

这个人和他既不相识，也没有恩怨，甚至连见都没有见过。

这个人的死活本来也和他全无关系。

可是现在他必须去杀这个人。

他杀他只因为高老大叫他这么样做。

他第一次见到高老大的时候，才六岁。那时他已饿了三天。

饥饿对一个六岁大的孩子来说，甚至比死更可怕，比等死更不可忍受。

他饿得倒在路上，几乎连什么都看不到了。

六岁大的孩子就能感觉到死，本是件不可思议的事。

但那时他的确已感觉到死——也许那时他死了反倒好些。

他没有死，是因为有只手伸过来，给了他大半个馒头。

高老大的手。

又冷又硬的馒头。

当他接着这块馒头的时候，眼泪就如春天的泉水般流了下来。泪水浸湿了馒头。他永远不能忘记又苦又咸的泪水就着冷馒头咽下咽喉的滋味。

他也永远无法忘记高老大的手。

现在，这只手给他的不再是冷馒头，而是白银、黄金，他要多少就给多少。

有时这只手也会塞给他一张小小的纸条，上面只写着一个人名、一个地方、一个期限。

纸条是那个人的催命符！

苏州，孙玉伯，四个月。

四个月，这期限就表示孙玉伯在四个月内非死不可。

自从他杀了金枪李之后，他从来没有再花三个月的时间杀一个人。

就算他杀点苍派第七代掌门人天南剑客的时候，也只不过用了四十一天。

这并不是因为他的剑更快，而是因为他的心更冷，手也更冷。

他知道再也不必花三个月的工夫去杀人。

高老大也知道。

但现在，期限却是四个月，这已说明了孙玉伯是个怎么样的人，要杀这个人是多么困难，多么艰苦。

“孙玉伯”这名字孟星魂并不生疏，事实上，江湖中不知道孙玉伯这名字的人，简直比佛教徒不知如来佛的还少。

在江湖中人的心目中，孙玉伯不但是如来佛，也是活阎罗。他善良的时候，可以在一个陌生的病孩子床边说三天三夜故事，但他发怒的时候，也可以在三天中将祁连山的八大寨都夷为平地！

这显赫的名字，此刻在孟星魂心里却忽然变得毫无意义了，就好像是一个死人的名字。

他甚至又可想象出剑锋刺入孙玉伯心脏时的情况。他也能想象得到孙玉伯剑锋刺入他自己心脏的情况。不是孙玉伯死，就是他死。

这其间已别无选择的余地，只不过无论是谁死，他都并不太在乎。

东方渐渐现出曙色，天已亮了。

乳白色的晨雾渐渐在山林间、泉水上升起，又渐渐一缕缕随风飘散，谁也不知飘散到什么地方，飘散到消失为止。

人生，有时岂非也正和烟雾一样！

孟星魂慢慢地站了起来，慢慢地走下山。

小木屋就在山下的枫林旁，昏黄的灯光照着惨白的窗纸，偶尔还有零星的笑声传出来。屋子里的人显然不知道欢乐已随着黑夜逝去，现实的痛苦已跟着曙色来了，还在醉梦中贪欢一晌。

孟星魂推开门，站着，瞧着。

屋子里已只剩下四五个人，四五个似乎完全赤裸着的人，有的沉醉，有的拥睡，有的却只是在怔怔地凝视着酒樽旁的孤灯。

看到孟星魂，沉醉的半醒，相拥的人分开，半裸着的女孩子娇笑着奔过来，白生生的手臂似蛇一般缠住了他脖子，温暖的胸贴上他的胸膛。

她们都很美丽，也都很年轻，所以她们还未感觉到出卖青春是件多么可怕的事，还能笑得那么甜，那么开心！

“你溜到哪里去了，害得我们连酒都喝不下去了。”

孟星魂冷冷地瞧着她们，这些女孩子都是他找来的，为她们，他袋中的银子已水一般流出。

半天前，他还会躺在她们怀里，像念书般说着连他自己也不相信的甜言蜜语。现在他却只想说一个字。

“滚！”

“你叫她们滚？”

软榻上半躺着一个男人，赤裸的上身如紫铜，衣服早已不知抛到哪里去了，但身旁却还留着一把刀。

一把紫铜刀，刀身上泛着鱼鳞般的光。他穿不穿衣服都无妨，但这柄刀若不在手旁的时候，他就会觉得自己好像是完全赤裸着的。

孟星魂淡淡地瞧了他一眼，道："你是谁？"这人笑了，道："你醉了，连我是谁都忘了。我是你从三花楼请来的客人，我们本来是在那里喝酒碰上的，你一定要请我来。"他忽然沉下了脸，道，"我来，是因为你这里有女人，你怎么能叫她们滚？"

孟星魂道："你也滚！"

这人脸色变了，宽大粗糙的手握住了刀柄，怒道："你说什么？"

孟星魂说道："滚！"

刀光一闪，人跃起，厉声喝道："你就算醉糊涂了，就算是忘了我是谁，也不该忘了这把紫金鱼鳞刀！"

紫金鱼鳞刀的确不是普通的刀，不但价值贵重，分量也极重，不是有身家的人用不起这种刀，不是爱出风头的人不会用这种刀，不是武功极高的人也用不了这种刀。

江湖中只有三个人用这种刀。孟星魂并不想知道他是谁，只问他："你用这柄刀杀过人？"

这人道："当然！"

孟星魂道："杀过多少人？"

这人目中露出傲色，道："二十个，也许还不止，谁记得这种事。"

孟星魂凝注着他，身体里仿佛有股愤怒的火焰自脊髓冲上大脑。

他总觉得杀人是种极痛苦的事，他想不通世上怎会有人杀了人后还沾沾自喜，引以为荣。

他痛恨这种人，正如他痛恨毒蛇。

紫金刀慢慢地垂下，紫铜色的脸上带着冷笑，道："今天我却不想杀人，何况我又喝了你的酒，用过你的女人……"

他忽然发觉孟星魂已向他冲了过来，等他发觉了这件事时，一个冰冷坚硬的拳头，已打上了他的脸。

他只觉得天崩地裂般一击，第二拳他根本没有感觉到。

甚至连疼痛和恐惧他都没有感觉到。

很久很久以后，他才觉得有阵冷风在吹着他的脸，就像是一根根尖针，一直吹入了他的骨骼，他的脑髓。

他不由自主地伸手摸了摸嘴，竟已变成了绵绵的一块肉，没有嘴唇，没有牙齿，上面也没有鼻子，鼻子已完全不见。

这时他才感觉到恐惧。

一种令人疯狂崩溃的恐惧突然自心底涌出，他失声惊呼。

别人远远听到他的呼声，还以为是一只被猎人刀锋割断喉管的野兽。

木屋中已没有别的人，樽中却还有酒。孟星魂慢慢地躺下，把酒樽平放在胸膛上。

酒慢慢地自樽中流出，一半流在他胸膛上，一半流入了他的嘴。

辛辣的酒经过他的舌头，流下咽喉，流入胸膛，与胸膛外的酒仿佛已融为一体，将他整个人都包围住。

他忽然觉得有种晕眩的感觉。

平时，在杀人前，他总是保持着清醒，绝不沾酒。

但这次却不同。他忽然觉得自己不该去杀那个人，也不想去，在那个人的身旁，仿佛正有种不祥的阴影在等着他。

等着将他吞噬！

第七杯酒喝下去的时候，她眼睛大亮了起来。

世上喝酒的人大致可以分为两种，一种人喝了酒后，眼睛就会变得蒙蒙眬眬，布满了血丝，大多数人都属于这一种。

她却是另一种。

第九杯酒喝下去的时候，她的眼睛，已亮如明星。

屋子里有六七个人正在掷骰子，骰子掷中的声音，脆如银铃。

灯也是银的，嵌在壁上，柔和的灯光照着桌上精致的瓷器，照着那紫檀木上铺着大理石的桌子，照着那六七张流着汗的脸。

她心里觉得很满意。

这是她的屋子，屋子里所有的一切，全都是她的，而这屋子，只不过是她财产中极小极小的一部分。

这几人不是家财万贯的富商巨商，就是声名显赫的武林豪杰，本来甚至连瞧都不会瞧她一眼，现在却全都是她的朋友。

她知道她只要开口，他们就会去为她做任何事，因为他们也同样有求于她，她也随时准备答应他们各种奇怪的要求。

迎门坐着的一个留着短髭、穿着锦袍的中年人，就是鲁东第一豪族秦家的第六代主人。

有一天他带着酒意说，他什么都吃过，就是没吃过一整只烤熟的骆驼。第二天，他刚张开眼，就看到四条大汉抬着他的早点进来。

他的早点就是一整只烤熟的骆驼。

在她这里，你甚至可以提出比这更荒唐的要求，在她这里你无论要什么，都绝不会失望。

但就在十几年前，她还一无所有，连一套完整的衣服都没有，只能让一些无赖贪婪的眼睛在她身上裸露的部分搜索。

那时无论谁只要给她一套衣服，就可以在她身上得到一切。

现在她却已几乎拥有一切！

她眼睛愈亮的时候，酒意愈浓。

骰子声不停地响，赌注愈来愈大，脸上的汗也愈来愈多。

看着他们的脸，她忽然觉得很可笑，这些平日道貌岸然的男人，一遇到赌和女人，就变成一群狗，一群猪，一群猪和狗的混种。

她想吐。

那边有人在喊："这次我坐庄，老板娘要不要过来押一注？"

她过去，随随便便押了张银票。坐庄的人是个镖局的镖主，还开着几家饭庄，平时总喜欢在她面前卖弄他那又粗又壮的身体和手上那块汉玉戒指，表示他不但有钱，还有人。

她当然知道他在打她的主意。

庄家掷出的点子是"十一"，他笑了，露出了满嘴饿狗般的黄板牙。

她随随便便地拈起骰子，一掷，掷了一个"四红"。

庄家虽然笑得已有点勉强，却还在笑，可是当他看到她押下的银票上写着"五万两整"的时候，他的脸就变得比牙齿更黄、更黑了。

她笑了笑，道："这是闹着玩的，算不得认真，宋三爷身上若是不方便就学两声狗叫，让大家乐一乐，这次赌的算是狗叫。"

为了五万两银子，相信很多人都愿意学狗叫。

但她已轻轻推开门，悄悄溜了出去，她生怕自己会当场吐出来。

曙色已临，广大的园林，在曙光中显得更加神秘。

她沿着小径走，走出了这一片美丽的园林，就到了山脚下的木屋，一推开门，就看到了半醉的孟星魂。

她悄悄走过去，向他伸出了手……

孟星魂并没有睡着，也没有醉，他只是不愿意太清楚。

听到脚步声，他张开眼，就看到了她的手。

无论谁都不能不承认这是双极美丽的手，只不过略嫌太大了些，正显示出这双手的主人那种倔强的性格。

现在看到这双手的人，绝不会相信这双手曾经在结了霜的地下挖过番薯，在几十尺深的废矿穴下挖过煤。

她凝视着他，轻轻拿起了他胸膛上的酒樽，道："你不该喝酒的。"

她的声音虽温柔，却带着种命令的方式。

她的确可以命令他。

"高老大"并不是大哥，是大姐。他的生命就是这双手给他的，在当时说来，那块又冷又硬的馒头实在比世上所有的黄金都珍贵。

那时正是战乱饥灾最严重的时候，你随时可以在路旁看到饿死的人，饿死人并不奇怪，能活下去才真是怪事。

没有家，没有父母，什么都没有，一个六岁大的孩子居然活了下去，不仅是怪事，而且是奇迹。

奇迹就是高老大造成的。

她创造了四个奇迹——有四个孩子跟着她，最小的才五岁，而她自己，也不过只是十三岁的孩子罢了。

为了养活这四个孩子，为了养活她自己，她几乎做过任何事情。

她偷，她抢，她骗，她甚至出卖过自己。

她十四岁的时候就被一个屠夫用两斤肥肉换去了童贞，她始终没有忘记那张压在她脸上淌着口水的脸。

十五年后，她找到那屠夫，将一柄三尺长的刀从他嘴里刺了下去。

初升的阳光温柔地洒满了窗纸。

她走过去，拉起窗帘，她不喜欢阳光，因为在阳光下已可看到她眼角的皱纹。

孟星魂忽然道："你是来催我的？"

高大姐笑了笑，道："你从来用不着我催，也从来没有让我失望。"

孟星魂道："但这次……"

高大姐道："这次怎么样？"

孟星魂道："这次我不去行不行？"

高大姐猝然转身，盯着他，道："为什么？你怕孙玉伯？"

孟星魂没有回答，因为他自己也不知道如何回答，他得先问自己，我是不是怕？——不是。

一个人若连死都不怕，还怕什么！

那只是一种厌倦，一种已深入骨髓、渗透血液的厌倦，厌倦了杀人，厌倦了流血，厌倦了这种永远见不到阳光的生活。

这种生活岂非正如妓女一样？

他前面只有一条路，后面却有条鞭子。过了很久，他才回答道："我只是不想去。"

高大姐美丽的笑容忽然凝结成冰，道："不行，你非去不可。"

她走得更近了些，又道："你知道，石群在西北，小何入了京，暂时都回不来，何况，这件事只有你能做，只有你才能对付孙玉伯。"

孟星魂道："叶翔呢？"

高大姐冷笑，道："叶翔！他现在只能抱抱孩子。"

孟星魂道："他以前做过的。"

高大姐道："以前是以前。"

她脸色渐渐和缓下来，柔声道："我已经给过他三次机会，我不能再让他令我失望一次。"

孟星魂脸上没有表情，一点表情也没有，但他右边的眼角却在不停地跳动，每次他感觉到伤心和愤怒时，就会这样。

他和石群、小何、叶翔，都是被高大姐养大的孩子，叶翔是他们其中的领袖，不但年纪最大，也最聪明，最坚强！

但现在……

高大姐叹息了一声，忽然在他身旁坐下，躺下，道："不要跟我争了，我已经累得很……"

她的手慢慢地伸过去，握着他的手，缓缓接着道："我知道你也累得很，但生活就是这样子的，我们要活下去，就不能停下来。"

活下去？谁能在乎活下去？

但人生中总有些事是你不能不在乎的。

孟星魂闭起眼睛，道："你若一定要我去，我就去。"

高大姐的手握得更紧，道："我知道你绝不会令我失望。"

她的手柔软而温暖。从他六岁开始，这双手就常常握着他的，她是他的朋友、他的长姐，也是他的母亲。

但现在，他忽然发觉这只手带来了另一种完全不同的情感。

他张开眼，瞧着她的手，然后慢慢地从手上向上移动，终于看到了她的面靥、她的眼睛。

她的眼睛清澈而明亮，但她的脸却是朦朦胧胧的，阳光已被厚厚的帘子隔在窗外，灯光也已熄灭。

他忽然觉得她就像是陌生人，一个陌生而美丽的女人。

她也在看着他，过了很久，才轻轻叹息，道："你已经不是个孩子了。"

他不是，他十三岁的时候已不再是个孩子。

高大姐道："我知道你找过很多女人呢！"

孟星魂道："很多。"

高大姐道："你有没有喜欢过她们？"

孟星魂道："没有。"

高大姐道："你若不喜欢她们，她们就无法令你满足，一个人若永远不能满足就会觉得厌倦。"

她笑了笑，笑得那么温柔，那么妩媚，道："也许，你根本还不懂得女人，还不知道一个女人能给男人多么大的鼓舞。"孟星魂没有说话，他的喉头上下移动。

他看着她。

她站了起来，慢慢地站了起来，姿态是那么柔和优美。

她的手放上衣纽，衣纽解开……

忽然间，她就已完全赤裸，她的腰还很细，胸还很挺，腿依然修长而结实，皮肤依然像缎子般发光。

她绝不像是个青春已逝去的女人。

站在这熹微朦胧的晨光中，她看来依然像是个春天的女神。

她在看着他。

忽然间，他觉得一种无法形容的冲动，连咽喉都似已堵塞，在这一瞬间，他已忘却过去，忘却将来，甚至连现在都已忘却了。

她慢慢地俯就向他，声音温柔而遥远，轻轻地道："你若懂得女人，就不会再厌倦，我要教你懂得……"

她的呼吸温柔如春风，带着种令人心醉的甜香。

她也许已醉了，但酒也化作了甜香。

虽然青春已逝去，但她依然是个不可抗拒的女人。

孟星魂在秋日已带着寒意的晨风中猛奔，就像是一只中了箭的野兽。

他奔跑的时候，眼泪突然流落。

他想，他要，可是他不能接受，无论谁都不知道他想得多么厉害，可是他不能接受。

他第一次冲动是在十三岁的时候，那时他们还在流浪，有一天睡在别人的谷仓里，是夏天，谷仓里又闷又热，半夜他被热醒，无意中发现她正在角落里用冷水在冲洗。

月光从谷仓顶上的小窗照下来，照着她赤裸裸的，发着光的胴体，她的手在自己的胸膛上轻揉，咽喉里发出一声声梦呓般的呻吟。

然后她身子突然痉挛，整个人都似已虚脱。

就在这时，他觉得自己小腹中像是燃起了一团火，他咬紧牙，闭起眼睛，汗水已湿透了衣服。

自从那时开始，他每一次冲动的时候，都不由自主会想到她，想到她那只在胸膛上轻揉的手，想到她那痉挛发抖的腿。

每次事后他都会有种犯罪的感觉，拼命禁止自己去想，他甚至在身上偷偷藏着根针，每次只要一想到，就用针刺自己的腿。

他年纪愈大，腿上的针眼愈多，直到他真正有了女人的时候。

但他只要一闭起眼睛，还是忍不住要将别的女人当作她。

他永远想不到有一天能真正得到她。

他的确想，的确要，可是他无论如何也不能接受。

他从木屋中冲出来的时候，她脸上那种表情就如被人重重掴了一耳光。对一个女人来说，世上简直没有比这更大的侮辱。

他也知道她心里的感觉，但却非拒绝不可。

她永远是他的姐姐，是他的母亲，也是他的朋友，他不能破坏她在他心目中的这种地位，因为这地位永远没有别人能代替。

林中的树叶已开始凋落。

他奔入树林，停下，紧紧拥抱着面前的一棵树，用粗糙的树皮摩擦自己的脸，只觉得脸是湿的，却不知是血还是泪。

阳光已升起，林外的庭园美丽如画。三千里内，再也找不出第二个如此美丽的庭园，同时更不会找到比这里更迷人的地方。

各种不同的人，从各种不同的地方到这里来，就像是苍蝇见到了肉上的血，就算在这里花光了最后一分银子，也不会觉得冤枉。

因为这里是“快活林”。

在这里，你不但可以买得到最醇的酒、最好的女人，还可以买到连你自己都认为永远无法实现的梦想。

只要你够慷慨，在这里你甚至可以买到别人的命！

这里绝没有钱买不到的东西，也绝没有不用钱就可以得到的东西，到这里来，就得准备花钱，连孟星魂都不能例外。

没有人能例外。

因为这里的主人就是高寄萍高老大。将近二十年艰苦、贫穷的流浪生活，教会了她一件事：亲生子也不如手边钱。世上绝没有任何事比钱更重要。

没有人能说她不对，因为她从贫穷中得到的教训，比刀割在自己的肉上还痛苦，还要真实。

小桥旁的屋子里，正有几个人走出来，手揽着身旁少女的腰，一面打着呵欠，一面讨论着方才的战局。

一场通宵达旦的豪赌，有时甚至比一场白刃相见的生死搏斗更刺激，更令人疲倦。

孟星魂认得最先走出来的一个人姓秦，是鲁东最大世家的这一代主人，年纪已大得足够做他身旁少女的祖父。

但他身体还是保养得很好，精力还是很充沛，所以每年秋天，他都要到这里来住一段日子。

孟星魂忽然想："要买孙玉伯性命的人并不多，是不是他？"

要买人性命的代价当然很大，够资格买孙玉伯性命的人并不多。以前孟星魂杀人的时候，从不想知道买主是谁，但这次，他忽然有了好奇心。

姓秦的这一夜显然颇有所获，笑的声音还很大，可是他的笑声突然间停顿了，因为小桥上正有个人从那边走了过去。

这人的身材很高，很魁伟，穿着件淡青色的长袍，花白的头发挽了个发髻，手里叮当作响，像是握着两枚铁胆。

孟星魂看不到他的脸，只能看到秦护花的脸。

秦护花在武林中的地位并不低，已可与当代任何门派的掌门人分庭抗礼，但他看到了这个人，脸上的神色立刻变得很恭谨，闪身在桥畔躬身行礼。

这人只点了点头，随意寒暄了两句，就昂然走了过去。

孟星魂真想过去看看这人是谁，但却不能。

在这里，他只不过是个永远不能见到天日的幽魂，既没有名，也没有姓，既不能去相识别人，也不能让别人认得他。

因为高老大认为根本就不能让江湖中知道有他这么样一个人存在。

他这一生就是为了杀人而活着，也必将为了杀人而死。

他若想活得长些，就绝不能有情感，绝不能有朋友，也绝不能有自己的生活。

他的生命根本就不属于自己。

第二章

枭雄之搏

孟星魂忽然觉得连这棵树都比他强些，这棵树至少还有它自己的生命，至少还能自己站得很直。

他推开树，站直，树上突然垂下了一只手，手里有酒一樽。

一个低沉嘶哑的声音道："这么早就清醒了，可不是件好事，赶快来喝一杯。"

孟星魂低着头，接着酒樽。

他用不着抬头去看，也知道树上的人是谁，就算他听不出这已日渐嘶哑的声音，也可以认得出这只手。

手很大，大而薄，表示他无论握什么都可以握得很紧，尤其是握着剑的时候，任何人都休想将他掌中的剑击落。

但这只手已有很久很久都未曾握剑了。

他手里的剑已被他自己击落。

"叶翔杀人……永远不会失手……"

高老大一直对他很有信心，他自己对自己也有信心，可是现在，他却仿佛连这只酒樽都握不住。

他手臂上有条很长很深的创口，那是他最后一次去杀人的时候留下来的。

那人叫杨玉麟，并不能算是个很了不起的人物，叶翔杀过的人，无论哪一个都比他厉害得多。

高老大要他去杀这个人，只不过是想恢复他的信心，因为他已失败过两次。

谁知他这次又失败了。

杨玉麟一刀几乎砍断了他的手。

从此以后，他没有再去杀过人，从此以后，他没有一天不喝得烂醉如泥。

酒苦而辣，孟星魂只喝了一口，就不禁皱起了眉。

叶翔道："这不是好酒，我知道你喝不惯的，但无论多坏的酒，总比没有酒好。"

他忽然笑了笑，道："高老大还肯让我喝这样的酒，已经算很对得起我了，其实像我这样的人，现在只配喝马尿。"

孟星魂没有说话，他不知该说什么。

叶翔已从树上滑了下来，倚着树干，带着微笑，瞧着孟星魂。

孟星魂却不去瞧他。

以前见过他的人，谁也想不到他会变得这么厉害。

他本是个很英俊、很坚强的人，全身都带着劲，带着逼人的锋芒，就好像一把磨得雪亮的刀。

但现在，刀已生锈，他英俊的脸上的肌肉已渐渐松弛，渐渐下垂，眼睛已变得暗淡无光，肚子开始向外凸出，连声音都变得嘶哑起来。

接过酒樽，仰首喝下一大口，叶翔忽然叹了一口气道："现在我们见面的机会愈来愈少，我并不怪你，你就算看不起我，也是应该的，若不是你，我已死在杨玉麟手上。"

高老大最后一次叫他去杀人的时候，已对他不再信任，所以就要孟星魂在后面跟着去。

从那一次起，孟星魂就完全取代了他的地位。

叶翔又笑了笑，道："其实那次我早就知道你会在后面跟着来的，所以我……"

孟星魂忽然打断了他的话，道："那次我根本就不应该去的。"

叶翔道："为什么？"

孟星魂道："你知道高老大叫我跟着你，知道她对你已不放心，所以你对自己没有信心了，我若不去，你一定可以杀死杨玉麟。"

叶翔又笑了，笑得很凄凉，道："你错了，那次我去杀雷老三的时候，已知道以后永远也没法子杀人了。"

那次去杀雷老三，就是他杀人第一次失手。

孟星魂道："雷老三只不过是个放印子钱的恶霸，你平时最恨这种人，我一直奇怪，那次你为什么居然下不了手？"

叶翔苦笑道："我也不知道为什么，我只是忽然觉得很疲倦，疲倦得什么事都不想去做，那种感觉你也许不会懂的。"

"疲倦"这两个字，就像是针。

孟星魂的眼角又开始跳，过了很久，才一字字地说道："我懂。"

叶翔道："你懂？"

孟星魂道："我已杀过十一个人。"

叶翔沉默了很久，忽然问道："你知道我杀过多少人？"

孟星魂不知道，除了高老大，谁都不知道。

每次任务都是最大的秘密，永远都不能向任何人说起。

叶翔道："我杀了三十个，不多不少，整整三十个。"

他的手在发抖，赶紧喝了口酒，闭着眼吞下去，才长长吐出口气，慢慢地接着道："你将来一定也要杀这么多的人，也许还要多些，因为你非杀不可，否则你会变成我这样子。"

孟星魂的胃在抽搐，忽然，又有了种呕吐的感觉。

叶翔就是他的镜子。

他仿佛已从叶翔身上，看到了自己的一生。

叶翔道："每个人，都有自己的命运，大多数人都在受着命运摆布，只有很少人能反抗，能改变自己的命运，我只恨我自己为什么不是这种人。"他暗淡的眼睛中忽然有了一线光亮，道："但我也曾有过机会的。"

孟星魂道："你有过？"

叶翔叹了口气，道："有一次，我遇见过一个人，她愿意不顾一切来帮助我，那时我若肯不顾一切跟她走，现在也许活得很好——就算死，也会死得很好。"

孟星魂道："你为什么当时没有那么做呢？"

叶翔的目光又暗淡下来，瞳孔已因痛苦而收缩，过了很久，才黯然道："那也许因为我是个又愚蠢又浑蛋又胆小的呆子，我不敢。"

孟星魂道："你不是不敢，是不忍。"

叶翔道："不忍？不忍更呆，我只希望你莫要跟我一样呆。"

他凝注着孟星魂，缓缓又道："机会只有一次，错过了就永不再来，但每个人一生中都至少会有这么样一次机会的。我求你，等机会来的时候，千万莫要错过。"

他扭转头，因为他不愿被孟星魂看到他目中的泪光。

他求孟星魂，也许并不是为了孟星魂，而是为了自己。

他这一生反正已完了，他希望能从孟星魂身上看到生命的延续。

孟星魂没有说话，他心里的话不能对人说。

他对高大姐的情感只有他自己知道。

他情愿为她死。

叶翔又道："你是不是又有事要做了？"

孟星魂点了点头。

叶翔道："这次你要杀的是谁？"

孟星魂道："孙玉伯。"

这本是他的秘密，可是在叶翔面前，他没有秘密。

他发现叶翔的瞳孔又在收缩，过了很久，才问道："是江南的孙玉伯？"

孟星魂道："你认得他？"

叶翔道："我见过。"

孟星魂道："他是个怎么样的人？"

叶翔道："他是个怎么样的人……没有人能说得出，我只知道一件事。"

孟星魂道："什么事？"

叶翔道："我绝不会去杀他！"

孟星魂沉默了很久，才缓缓道："我也只知道一件事。"

叶翔道："你知道什么？"

孟星魂目光凝注着远方，一字字道："我非杀他不可——"

老天对他们的确太不公平，他们悲哀、愤怒，却都无可奈何。

这世上不公平的事情本来就很多。

幸好他们除了老天外，还有老伯。

老伯从未让他们失望过。

“老伯”的意思并不完全是“伯父”，这两个字包含的意思还有很多。

在很多人心目中，它象征着一种亲切、一种尊严、一种信赖。

他们知道自己无论遇着多么大的困难，老伯都会为他们解决，无论受了多么大的委屈，老伯都会替他们出气。

他们尊敬他，信赖他，就好像儿子信赖自己的父亲。

他帮助他们，爱他们，对他们一无所求。

但只要他开口，他们愿意为他付出一切。

方幼苹回家的时候，已烂醉如泥。

他已不记得自己是在哪里喝的酒，也不知道自己是怎么回来的。

他清醒的时候绝不会回来。

他本来有个温暖的家，可是在七个月前，这个家忽然变成了地狱。

仆人们都已睡了，他自己找到了半樽喝剩下的酒。

他还没有开始喝已开始呕吐，就吐在地上他花三千两银子买来的波斯地毡上。

吐完了就仿佛清醒了很多，但他却不愿清醒。

清醒的时候他会发疯。

他有钱，又有名。有钱有名的人，大多数都有个很美丽的妻子。

他的妻子不但美，简直美得令人无法忍受，他受不了男人们看到他妻子时眼睛里带着那种贪婪的表情。

他恨不得将这些男人的眼睛挖出来。

可是她喜欢。

她喜欢男人看她，也喜欢看男人那种贪婪的表情。

虽然她外表冷若冰霜，但他却知道她心里也许正在想着和那男人上床。

他知道她还没有嫁给他以前，就已经和很多男人上过床。

在他们洞房花烛的那天，他就已几乎忍不住要扼死她，但只要一看到她那双大而灵活的眼睛、小而玲珑的嘴，他伸出去准备扼死她的手就会拥抱住她，伏在她胸膛上流泪。

他永远不知道她和多少别的男人上过床。

他只知道一个。

床上没有人，她一定还在那个人的床上。

方幼苹冲入厅堂，找到另一樽酒，就在门口地上躺了下来，继续不停地喝，直到他听见窗外衣袂带风的声音。

朱青在嫁他之前，本是个很有名的女飞贼，轻功甚至比方幼苹更有名。

现在她当然用不着再去偷，但轻功还是给她很多方便，她随时可以从窗子里溜出去，去偷。

现在她不再偷别的，只偷男人。

烛已将残，烛光却还是很亮，她忽然出现在他面前，就站在他面前，垂首看着他，眼睛里带着轻蔑不屑的表情望着他。

她脸色苍白，眸子漆黑，神情冷漠而高贵，看起来甚至有点像是个贞洁的寡妇，无论谁也想不到她刚出去做过什么事。

方幼苹道："你出去干什么去了？"

他明知道，却还是忍不住要问。

朱青目中的轻蔑之色更浓，冷冷地道："找人。"

方幼苹道："找谁？"

朱青道："当然是去找毛威啰。"

毛威，城里的人没有一个不知道毛威，毛威的财产比城里一半人加起来的还多，毛威玩过的女人比别人看到的还多。

十个人中，至少有六个身上的衣服都是毛威绸缎庄买来的，吃的米也是毛威米店里买来的。

你随便走到哪里，脚下踩着的都可能是毛威的地，随便看到哪个女人，都可能是毛威玩过的。

在这里，你无论做什么事，都免不了要和毛威沾上点关系。

方幼苹的脸在扭曲，道："毛威，你……你又去找他干什么？"

朱青道："你想知道我去干什么，是不是？"

她眸子里忽然露出一种撩人的媚态，苍白的脸上也现出了红晕，咬着嘴唇道："他也喝酒，但却不像你，他就算醉了也行。"

方幼苹突然跳起来，扼住了她的咽喉，嗄声道："我杀了你！"

朱青忽然笑了，吃吃笑道："你杀吧，你只有本事杀我，你若敢去杀他，我才佩服你。"

方幼苹不敢，就算喝醉时也不敢。

他的手松开，手发抖，但看到她脸上那种轻蔑的冷笑，他的手又握成拳。

朱青尖叫，道："别打我的脸……"

她尖叫，却不恐惧。

她还在笑。

他一拳打在她肚子上，她仰面跌倒，却钩住了他的脖子，拖着他一齐倒下，倒在她身上，让他闻到她身上的芬芳。他还在打她柔软的胸膛和大腿。

但他打得实在太轻了，打得她吃吃地笑，修长的腿随着笑而扭动，曳地的长裙卷起，终于露出了她那双雪白柔滑的腿。

方幼苹牛一般喘息着。

朱青的腿分开，浪笑着道："来吧，我知道你真正想要的是这个，我虽然陪过了他，却还是可以再陪你，陪你用不着费力。"

方幼苹突然崩溃，再也无能为力。

他连试都已不能试，只有从她身上滚下来，滚到他方才呕吐过的地方。

他还想呕吐，却已吐不出，他只能痛哭。

朱青慢慢地站起来，轻拢鬓边的乱发，一刹那间，她已又从浪妇变成了贵妇，冷冷地瞧着他，道："我知道你一喝醉就不行，我要去睡了，千万莫要来吵我，因为我要睡得好，明天才有精神去见他！"

她转过身，慢慢地走回卧房，冷冷道："除非你杀了他，否则我天天都要去找他的！"

他听到房门关起上闩的声音。

他继续不停地哭，直到他想起了一个可以帮助他，可以救他的人！

"老伯……"

一想起这个人，他心情忽然平静，因为他知道他能替他解决一切。

只有他，没有别人。

张老头站在床头，望着他美丽的女儿，眼泪不停地流。

他是个孤苦的老人，一生都在默默地替别人耕耘，收获也是别人的，只有这唯一的女儿，才是他最大的安慰，也是他的生命。

但现在他的珍宝已被人摧残得几乎不成人形。

从昨天晚上回来，她就一直昏迷着，没有醒过来。

抱回来的时候全身衣服都已被撕裂，白嫩的皮肤上青一块，紫一块，身上带着血，右眼被打肿，浑圆美丽的下颚也被打碎。

昨天晚上究竟遭遇到什么，他不能想，不忍想，也不敢去想。

她出去提水的时候，还是那么纯真，那么快乐，对人生还是充满了美丽的幻想，但她回来的时候，人生已变成了一场噩梦。

在倒下去之前，她说出了两个人的名字。

两个畜生。

他只恨不得能亲手扼断他们的咽喉。

他当然做不到。

江风和江平是徐家堡的贵宾，他们的父亲是大堡主徐青松的多年兄弟，他们兄弟都是江湖中有名的壮士，曾经赤手空拳地杀死过白额虎。

若是凭自己的力量，他永远没法子报复。

但徐大堡主一向是个很公正的人，这次也一定会为他主持公道。

徐大堡主铁青着脸瞪着站在他面前的江家兄弟，他衣袖高高挽起，好像想亲自扼死这两个少年。

江风和江平头虽然垂得很低，极力在装出一副害怕的样子，但他们的眼睛里却并没有畏惧之色，弟弟在瞧着自己的鞋尖，鞋尖上染着块血渍。

这双靴子是他刚从京城托人带回来的，他觉得很可惜。

“畜生！天咒的畜生，狗娘养的！”

张老头愤怒得全身都在发抖，拼命忍耐着，他相信徐大堡主一定会给他们个公正的惩罚，让他们以后再也不敢做这种事，徐青松的声音很严肃，道：“这件事是你们做的？说实话！”

江风点头，江平也跟着点头。

徐青松怒道：“想不到你们竟会做出这种事，你父亲对你们的教训，难道你们全都忘了？我身为你们父亲的兄弟，少不得要替他教训教训你们，你们服不服？”

江风道：“服。”

徐青松脸色忽然缓和了下来，叹了口气，道：“你们的行为虽可恶，总算还勇于认错，没有在我面前说谎。年轻人只要肯认错，就还有救药，而且幸好张姑娘所受的伤不算太严重……”

张老头忽然觉得一阵晕眩，徐青松下面说的话，他一个字都听不到了。

“她受的伤还不算太严重……”要怎样才算严重，她一生的幸福都已毁在这两个畜生手上，这创伤一生中永远也不会平复，这还不算严重？

徐青松又道：“我只问你们，以后还敢再做这种事不？”

江风目中露出一丝狡黠的笑意，他知道这件事已将结束。

江平抢着道：“不敢了。”

徐青松道：“念在你们初犯，又勇于认错，这次我特别从轻发落，罚你们在这里做七天苦工，每天三两工钱，全都算张姑娘受伤的费用。”

他重重一拍桌子，厉声道：“但下次你们若敢再犯，我就绝不容情了。”

张老头全身的血液都似已被抽空，再也站不住。

每天三两银子，七天二十一两。二十一两银子在江家兄弟说来，只不过是九牛一毛，却买到了他女儿一生的幸福。江家兄弟垂着头往外走，走过他面前的时候却忍不住瞟了他一眼，目光都是带着胜利的表情。

张老头一生艰苦，也不知受过多少打击、多少折磨、多少侮辱。

他已习惯了别人的侮辱，学会了默默忍受。

可是现在，他再也控制不住自己，用尽全身力气冲过去，抓住了江风的衣襟，捶着他的胸膛，大声嘶喊道：“我也有二十一两银子，带你的姐姐来，带你妹妹来，我也要……”

江风冷冷地瞧着他，没有动，没有还手。

张老头的拳头打在他胸膛上，就好像蜻蜓在撼摇石柱。

两个家丁已过来拉住张老头的手，将他整个人悬空架了起来，他忽然觉得自己就像是架上的猴子，终生都在受着别人的侮辱和玩弄。

徐青松沉着脸，道："若不是你女儿招蜂引蝶，他们兄弟也不敢做这种事，否则他们为什么没有对别人的女孩子这么做，这堡里的女孩子又不止你女儿一个。"

他挥了挥手，厉声道："快回去教训你自己的女儿，少在这里发疯！"

一阵苦水，涌上了张老头的咽喉，他想吐，却又吐不出。

他拿起根绳子，套上了屋顶。

他恨自己没有用，恨自己不能为自己的女儿寻求公正的报复，只有眼睁睁瞧她受畜生的摧残。他情愿不惜牺牲一切来保护他的女儿，但他却完全无能为力。

"这么样活着，是不如死了的好。"

他在绳上打了个结，将脖子伸了进去，就在这时，他看到了堆在屋角的几个南瓜和一大堆葡萄。

每年秋收，他都会将田里最大的瓜和最甜的葡萄留下来，去送给一个人，表示他对这人的爱和尊敬。

"老伯"。他想起了这个人，心里的苦水突然消失，因为他相信这个人一定会为他主持公道。

他是他这一生中唯一可以信赖的人。

只有他，没有别人。

"七勇士"是七个年轻、勇敢、充满了活力的人！

只不过他们对"勇敢"这两个字的意思并不能全部了解。

他们什么话都敢说，什么事都敢做。

他们认为这就是勇敢，却不知这种勇敢是多么愚蠢！

七勇士的大哥叫铁成刚。

铁成刚和他们六个兄弟都不一样，只有他不是孤儿，但他却喜欢在外面流浪。

秋天是狩猎的天气。

这一天，铁成刚带着他的六个兄弟到东山去打猎，刚打了两只鹿、一只山猫和几只兔子，忽然发现后山起了火，火头很高。段四爷的万景山庄就在后山。

段四爷是铁成刚的舅父。

他们赶到后山起火的地方，果然就是万景山庄。

火势很猛烈，却没有人救火，万景山庄上上下下七八十个人到哪里去了？

他们冲进去，就知道了答案。

万景山庄连男带女，老老小小七十九口人，已变成了七十九具死尸！

段四爷常用的梨花银枪已断成两截，枪头就插在自己的胸膛上。

但枪杆并不在他手里。

他双手紧握，手背上青筋凸起，像一条条死蛇。

是什么东西能让他握得这么紧，连死都不肯松手？

没有人知道，他自己也永远再无机会说出，他死不瞑目。

铁成刚望着这张已扭曲变形的脸，望着这双已因愤怒惊恐而凸出的眼珠，只觉得心在绞痛，胃在收缩。

他蹲下来，将他舅父的眼皮轻轻阖起，然后再去扳他的手，却扳不开。

他的手抓得太紧，他的血液已凝结，骨骼已硬化。

火势却已逼近，烈火已将铁成刚青白的脸烤成赤红色，头发也已发出了焦臭。

他的兄弟在喊："快走！先退出去再说！"

铁成刚咬咬牙，突然拔刀，砍下了他舅父的两只手，藏在怀里。

他的兄弟又在奇怪："你就算想看他手里抓的是什么东西，为什么不连他的尸体一齐抬出去？"

铁成刚摇摇头，道："火葬很好。"

他对自己的兄弟从无隐瞒，可是这次他并没有将心里的感觉说出来。

他忽然有了种不祥的预感，知道今天非但绝对无法将这里的尸体带走，连自己的性命能不能带走都很成问题。他退了出去，他的兄弟愕然望着他，道："这里咱们就不管了么？"

铁成刚牙咬紧，道："怎么管？"

兄弟们道："我们至少也该先查出是谁下的毒手。"

铁成刚没有说话，他已看到三个人出现。

三个穿着蓝布袍的道人，杏黄色的剑穗在背后飞扬，花白色的胡须也在风中飞扬，就像是三个久已不食人间烟火的神仙。这三个人当然绝不会是凶手。

铁成刚的心忽然沉了下去，但他的兄弟面上却都现出了喜色。

“黄山三友来了，只要这三位前辈来了，还有什么问题不能解决的？”

一石，一云，一泉，就是黄山三友。

他们虽然是出家人，但却没有出世，江湖中谁都知道他们不但剑法极高，而且为人极公正，很多学剑的年轻人都将他们当作偶像。

七勇士也不例外，都已在躬身行礼。

一石、一云、一泉的脸色却沉重得很，好像十月中黄山的阴霾。

一泉道长忽然道：“你们好大的胆子！”

一云道长沉着脸，道：“我知道你们一向胡作非为，却还是想不到你们竟敢做出这种事。”

一石道长向来很少说话。

他沉默得就像是块石头，却比石头更硬，更冷。

七勇士中有六个人面上都变了颜色，并不是恐惧，而是吃惊。

“我们做了什么事……这件事，不是我们做的。”

一泉现出怒容，道：“还敢说谎？”

一云厉声道：“不是你们做的，是谁做的？你们刀上的血还没有擦干净！”

刀上的是兽血，不是人血，以黄山三友那样锐利的目光怎会看不出来？

大家更加吃惊，但铁成刚却反而变得很平静。

因为他已看出这件事的关键，已知道这件事绝没有任何人再能为他们辩白，他不愿含冤而死，更不愿他的兄弟陪他死。所以他必须冷静。

一泉道：“你们还有什么话说？”

铁成刚忽然道：“这件事全是我做的，他们什么都不知道！”

一泉道：“你要我放了他们？”

铁成刚道：“只要你放了他们，我一个字都不说，我保证！”

一石的瞳孔也收缩，道：“一个都不能放走，杀！”

他的剑比声音更快！

剑光一闪，已有一勇士惨呼着倒下去。

七勇士并不像其他别的那些结拜兄弟，他们并非因利害而结合，并非酒肉之友，他们之间的确有情感，有义气。其中一个人死了，别的人立刻全都红了眼。

虽然他们自己也明知绝不是黄山三友的对手，可是他们不怕死，什么都不怕，他们只不过是群血气方刚的孩子，既不能了解生存的可贵，也不能了解死的恐惧。

铁成刚长大了。

他忽然转身，冲入了火焰。

他临阵脱逃，并不是怕死，只是不愿意这么样不明不白地死。

他知道这一死，七勇士就变成了洗劫万景山庄的凶手，臭名就永远也无法洗刷，那真凶永远可以逍遥法外。

他也知道黄山三友绝不会让他逃走，所以他冲入了火焰。

一石厉声道：“不能让他走，追！这五个我一个对付就已足够。”

他剑光闪动纵横，剑锋划过处必有鲜血随着激出。

一泉和一云也已冲入了火焰，火势虽已接近尾声，却还是很猛烈。

他们花白的胡须上已沾着火星，虽仗着剑光护体，身上还是有些地方已被燃着，发出了焦臭。

黄山三友的生活一向如闲云野鹤，黄山三友的风姿一向如世外神仙，从来也没有如此狼狈过的。

但这次，他们却已不顾一切。

他们为什么要将铁成刚的性命看得如此重要？

一泉道：“铁成刚，你可听到了你兄弟的惨呼声？你竟不管他们？你这样算什么朋友？”

没有回应，只有火焰燃烧着木头“哔剥”作响。

一云已无法忍受，道：“咱们还是先退出去，他反正跑不了的。”

铁成刚的确跑不了。

他若逃出火场，就逃不出黄山三友的利锋；他若留在火场，就得被烧死。

火熄灭了。

黄山三友开始清点火场，所有的尸身都已被烧焦。

一石道："尸身多少？"

一泉道："八十五。"

一石的脸沉下来，过了很久，才一字字道："铁成刚还没有死。"

一泉点点头，道："他还没有死。"

一石道："他不能不死！"

一泉又点了点头，重新开始搜索。

他们终于在瓦砾间找到了一条地道。

一泉的脸色更难看，道："他只怕已经由这地道中逃了出去。"

一云道："他是段老四的亲戚，当然到这里来过，所以知道这条地道。"

一石道："追！"

一泉道："当然要追，就算追到天涯海角，也不能让他逃掉。"

铁成刚伏在黑暗的荆棘丛中，动也不动。

虽然他全身已被刺伤，伤处还在流血，虽然他已有两三天水米未沾，已饿得眼睛发花，渴得嘴唇破裂。

但他连动都不敢动。

因为他知道有人正在外面追捕搜索，"虎林大侠"赵雄几乎已命他门下所有的弟子全部出动。

赵雄本是他父亲的好朋友。

铁成刚逃进这里来，本想求他保护，求他主持公道。

但赵雄却宁可相信黄山三友的话，若不是他已经发觉赵雄神色不对，此刻只怕早已死在黄山三友的剑下。

若连赵雄都不相信他，还有谁能？

江湖中还有什么人愿意为了保护他，而去得罪黄山三友？

铁成刚的脸伏在泥土上，泪浸湿了泥土。

他有泪本不轻流，宁死也不愿流泪，但现在却已伤心得几乎完全绝望。

那两只已干瘪的手还在他怀里，手里握着的就是证据。

但他却不能将这证据拿出来给别人看，因为他任何人都不能信任。

别人会将这双手拿去讨好黄山三友，会将这证据湮没，他就更死无葬身之地了！晚风中传来野狗的悲吠。

铁成刚现在就像是条野狗一样，悲苦，无助，寒冷，饥饿。

他甚至连野狗都不如。

他翻了个身，天上已有星光升起，星光还是和以前同样灿烂美丽。

星光总是会替人带来希望。

他忽然想起了一个人。

“老伯。”

这世上假如还有唯一一个人他能信赖的，这人就是老伯。

只有他，没有别人。

这本是个美丽的地方，风光明媚，绿草如茵，躺在这里，可以看到青翠的山，飘动的云，也可以看到白云下青山上那座美丽的城堡。

那是座古城，早已荒废，十几年前万鹏王才将它修饰一新。

所以这古城就做了“十二飞鹏帮”的总舵，总舵主万鹏王就住在城里，武林中绝没有人敢随意来侵犯这里的一草一木。

现在花已凋谢，草已枯黄。

但他们并不在乎。

只要他们能在一起，他们什么都不在乎。

是花开也好，花落也好，是春天也好，秋天也好，他们只要能在一起，就会觉得心满意足。

他们还年轻，相爱着。

他才十八岁，他比她大不多。

喘息停止，激情已升华。

他躺在她怀抱里，觉得风是如此温柔，雨也是如此温柔。

她脸上带着满足的笑靥，对生命的美好衷心感激。可是当她看到山上那庄严的城堡时，她笑容立刻消失，目中立刻充满了痛苦。

过了很久，她终于幽幽地叹了一声，说道：“小武，你本不该这么喜欢我的，也不应该对我这么好。”

小武的手轻抚着她柔滑的肩，道：“为什么？”

“因为我不配。”她眨了眨眼，泪已将流，慢慢地接着道，“你知道，我只不过是人家的一个小丫头，我全身上下都是人家的，人家要我死，我就不能活。”

小武的轻抚变成了拥抱，柔声道：“黛黛，千万莫要再说这种话，只要你的心是我的，我的心是你的，我们什么都不必怕。”

他抱得那么紧，抱得她心都已融化。

但她的泪还是忍不住流落，黯然道：“我不怕别的，只担心我们的事有一天被人家发现了。”

想到那一天，她心里就生出一种不能形容的恐惧，因为她曾经看到过她主人发怒的脸孔。

她的主人就是万鹏王。

万鹏王发怒的时候，没有人能劝阻。

她翻身，紧拥着他，道：“老爷子绝不会让我跟你在一起的，你总该知道他对下人是多么严，他若知道这件事……”

他忽然用嘴封住了她的嘴，不让她再说下去了。

但他的嘴唇也冰冷，身子也在颤抖，道：“我不会让任何人来拆散我们，绝不会……”

他停住嘴，因为他感觉到黛黛柔软的身子突然僵硬。

他转身抬起头，就看到万鹏王。

在很多人眼中，万鹏王并不是一个人，而是一个神。

若真的有神，那么万鹏王身材也许比真神还高大，相貌也许比真神还威严，虽然他一手击发不出雷电，却能令风云变色。小武并不是个手无缚鸡之力的书生，他非但能文，而且武功不弱。

但是当万鹏王的巨掌挥出时，他根本无法招架，无法闪避。

他甚至可以听到自己骨头碎裂的声音。晕晕迷迷中，他听到黛黛的惊呼啼哭，也听到万鹏王慑人的语声。

“我知道你是‘镇武镖局’武老刀的儿子，看在他曾经替我做过事，今天饶你不死，但你下次要是还敢再到这里，我将你五马分尸！”

万鹏王说出的话，从来没有一个人敢怀疑不信，他若说要将你五马分尸，就绝不会用别的法子杀你，也不会只用四匹马。

“抬他回去，告诉武老刀，他若是想要他的儿子，就不要放他出门！”

武老刀从此不敢放他的儿子出门，他只有这么一个儿子。

但他又怎忍看着他这唯一的儿子日渐憔悴，日渐消瘦？

他去求过情，求万鹏王将黛黛嫁给他儿子。

他得到的回答是一巴掌！

万鹏王拒绝别人只拒绝一次，因为绝没有人敢第二次再去求他。

别人秋收的时候，小武的生命已将结束。

他不吃，不喝，不睡，甚至连醒都不醒，终日只是晕晕迷迷的，呼唤着他心上人的名字。

他的呼声听得武老刀心都碎了。

他愿意牺牲一切来救他的儿子，却完全无能为力。

他只有看着他的儿子死！

他自己也不想活了。

就在这时，他接到了一个人的帖子，这是他从小就认得的朋友，他们的年纪相差无几，但他对这人的称呼却是：“老伯”。

这两个字，已足够说明白他对这人是多么尊敬。

他只恨自己为什么一直没有想到这个人，世上只有这个人才是他儿子的救星。

只有他，没有别人。

“老伯”就是孙玉伯！

没有人真正知道孙玉伯究竟是个怎么样的人。

究竟能做什么事。

但无论谁有了困难——有了不能解决的困难时，都会去求他帮助。

他从不托词推诿，也绝不空口许诺，只要他答应了你，天大的事你都可以放到一边，因为他绝不会令你失望。

你不必给他任何报酬，甚至不必是他的老朋友。

无论你多么孤苦穷困，他都会将你的问题放在心上，想办法为你解决。

因为他喜欢成全别人，喜欢公正。他憎恶一切不公正的事，就像是祈望着丰收的农人，憎恶蝗虫急于除害一样。

他虽然不望报酬，但报酬却还是在不知不觉中给了他。

他的报酬就是别人对他的友爱和尊敬，就是“老伯”这称呼。

他喜欢这称呼，而且引以为荣。

除了喜欢帮助人之外，老伯还喜欢鲜花。

他住的地方就是一片花海，一座花城，在不同的季节中，这里总有不同的花盛开，他总是住在花开得最盛的那个地方。

现在开得最艳的就是菊花。

所以老伯就在菊花园里接待他的宾客。

客人们已如潮水般自四面八方涌来，有的带着极丰盛的贺礼，有的只带着一张嘴和一片真诚的贺意。

老伯对他们都一视同仁，无论你是贫，是富，是尊贵，是卑贱，只要你来，就是他的客人。

他绝不会对任何人冷落。

尤其今天，他的笑容看来更和蔼可亲，因为今天是他的生日。

他站在菊花园外迎接着贺客。

孙玉伯其实并不高，但看到他的人却都认为他是自己所见到过的最高大的人。

他面上带着笑容，但却没有减少他的威严，无论谁都不会对他稍存不敬之心，很多人对他比对自己的父亲还尊敬。

唯一敢在他面前出言顶撞的，就是他的儿子孙剑。

孙剑的名字本来是孙剑如，但他觉得这“如”字有点女人气，所以就自己将“如”字去掉。

他不愿自己身上沾着一星一点女人气。

孙剑的确是个男子汉，就像他父亲一样，身材也不高，但全身都充满了劲力，永远都不会消耗完的劲力。

他和他父亲一样慷慨好义，就算将自己身上的衣服脱下来给别人穿也在所不惜，但别人对他却和对他父亲不同。

因为他性如烈火，随时都可能翻脸发作，暴躁的脾气非但时常令他判断错误，而且使他失去很多朋友。

别人并不是不愿接近他，而是对他总存有一种畏惧之心。

女人却例外。

女人虽也怕他，却无法抗拒他那种强烈的吸引力，很多女人只要被他看过一眼，就会情不自禁地向他献身。

现在孙剑也站在菊花园外，陪着他父亲迎接着贺客，他神情显得有点不耐烦，因为他已在这里站了很久。

幸好这时已到了晚宴的时候，该来的人大多已来了。

宾客中有许多陌生人，其中有一个是衣衫朴素、面容冷漠的少年。

他带来了一份既不算轻，也不算太重的贺礼。

孙家父子却不认得他，这没关系，老伯喜欢朋友，他这里的门户就是为陌生人开着，只要来他就欢迎。

何况这陌生的少年，既不讨厌，孙家父子都觉得他顺眼，孙剑甚至还愿意和他交个朋友。

所以特地瞧了瞧礼单上写着的名字——陈志明。

很平凡的名字。

孙玉伯忽然问道："陈志明，你听过这名字没有？"

孙剑道："没有。"

孙玉伯皱了皱眉，道："这两年你常到外面去走动，怎么会没听过这名字？"

孙剑道："他绝不是著名的人！"

孙玉伯道："奇怪，像这么样一个年轻人，怎么会是无名之辈？"

孙剑道："也许他运气不好。"

孙玉伯沉吟着，道："等会你去问问律香川，也许他知道。"

孙剑道："好。"

他虽然答应了，却没有去问。因为来的客人愈来愈多，他们很快就将这件事忘记了。

就算孙剑没有忘记，也未必去问。

他不喜欢律香川，他认为律香川有点像是女人。

但他若知道这少年是谁，是为什么来的，情况也许就完全不同，那么很多可歌可泣，令人热血沸腾、热泪盈眶的事，以后也许就不会发生。

这陌生的少年真名并不叫陈志明。

他是来杀人的，杀的就是孙玉伯。

他真正的名字是：孟星魂！

孙剑若是问过了律香川，律香川一定就会去将这陌生少年的来历调查清楚，不调查出结果来，他绝不会放手。

律香川并不像女人，他比女人更仔细，更小心，更谨慎。

他和孙剑恰巧是两个完全不同的人。

他们的外貌也完全不同。

孙剑相貌堂堂，浓眉大眼，身上的皮肤已晒成了紫铜色，他眼睛瞪着你的时候，你绝不会去看别人，也没法子再去看别人。

律香川却是个脸色苍白、文质彬彬的人，所以别人往往会低估他的力量，认为他并没有什么了不起。

这种错误不但可笑，而且可怕！

律香川不但是孙玉伯最得力的助手，也是武林中三个最精于暗器的人之一，尤其是属于机簧一类的暗器，天下再也没有任何人能比得上他。

他从来不用兵器，他不必。

一个全身都是暗器，随时随地，无论在任何角度都能发出暗器的人，不必再用任何兵器。

孙玉伯看到篮子里的瓜和葡萄，就知道张老头来了。

每年这个时候，张老头都不会忘记将田里最大的瓜果送来。

他一年辛劳，难得有空闲，更难得有享受，只有到这里来的时候，他才能真正放松自己，享受到他在别的地方从未享受过的美食和欢乐。

所以他每次来的时候，都满怀兴奋，但这次一见到孙玉伯，他就已泪流满面，泣不成声。

孙玉伯将他带进书房，递给他一筒烟和一杯酒，先要他设法平静下来。

书房是老伯的禁地，在这里无论说什么都不必怕别人听到。

他将张老头带来这里，因为他知道他的老朋友必定有很多痛苦要叙说。

他也知道一个人要向朋友诉说痛苦，要求帮助是多么困难。

张老头终于说出那段可怕的遭遇，听完了之后，他脸色也已发青。

虽然他并没有答应要做什么，但是张老头知道，他一定会将这件事做得完全公正，一定会让那两个畜生得到应得的教训！武老刀离开书房的时候，心情也和张老头一样，满怀欣慰和感激。

方幼苹也是如此，无论谁来到这里，都不会失望。

然后是几个来借钱的，等他们都满意走了后，律香川才走进书房，他知道老伯这时候必定对他有所吩咐。

孙玉伯的命令一向很简短。

“叫几个人三天后去徐家堡，不必要江家兄弟的命，但至少要他们三个月之内起不了床。”

律香川沉吟了半晌，道：“要文虎和文豹去好不好？他们对这种事有经验。”

孙玉伯点一点头，说道：“毛威便要孙剑去对付。”

律香川笑了，他知道老伯的意思。

老伯要孙剑去对付一个人，就等于宣布了那人的末日。

孙玉伯又道：“但十二飞鹏帮那里，却要你自己去一趟，万鹏王是个很难惹的人，我希望你去的时候能把那小姑娘也一起带走。”

他只发令，不解释。他只要你去做那件事，而且一定要做成功，你无论怎么样去做，那是你自己的事了。

律香川当然知道这任务是多么艰难，但面上却丝毫没有露出难色，任何人都知道他愿意为老伯去做任何事。

老伯将最困难的事留给他做，这就表示看得起他。

想到这一点，他目中不禁露出感激之色。

老伯仿佛已看到了他的心，微笑着拍了拍他的肩膀，道：“你是个好孩子，我希望你也是我的儿子。”

律香川好不容易控制住自己心里的激动，道："韩棠来了，已经在外面等了很久，要亲自向你老人家道别。"

听到"韩棠"这名字，老伯的脸突然沉了下来，道："他不该来的！"

律香川没有说话，也无法说什么，就连他都不知道韩棠究竟是个怎样的人，和老伯之间究竟是什么关系。

他很少见到韩棠，但只要一见到这个人，他心里就会不由自主地升起一股寒意。

这连他自己也都不知道为什么。

韩棠并不野蛮，并不凶恶，只不过眉目间仿佛总是带着一种说不出的冷漠之意，无论谁都没法子和他亲近。

他自然也不愿和任何人亲近，随便在什么地方，他都是站得远远的，若有人走近他七尺之内，他立刻就会走得更远些。

除了在老伯的面前，也从来没有人见到他开过口。

甚至在老伯面前他都很少开口，他好像只会用行动表示自己的意思。

律香川看得出他对老伯并没有友爱，只有尊敬，每个人都是老伯的朋友，只有他不是。

他仿佛是老伯的奴隶。

孙玉伯沉默了很久，终于叹了口气，道："他既然来了，就让他进来吧！"

韩棠一走进书房，就跪了下来，吻了吻老伯的脚。

这种礼节不但太过分，而且很可笑。

但韩棠做了出来，却没有人会觉得可笑，他无论做什么事都不会令人觉得可笑。

因为他只要去做一件事，就全心全意做，那种无法形容的真诚不但令人感动，往往还会令人觉得非常可怕。

孙玉伯坦然接受了他的礼节，并没有谦虚推辞，这也是很少见的事，老伯从不愿接受别人的叩拜，律香川一直不懂他对韩棠为何例外。

老伯道："这一向你还好？"

韩棠道："好。"

老伯道："还没有女人？"

韩棠道："没有。"

老伯道："你应该找个女人的。"

韩棠道："我不信任女人。"

老伯笑笑，道："太信任女人固然不好，太不信任女人也同样不好，女人可以使男人安定。"

韩棠道："女人也可以使男人发疯。"

老伯又笑了，道："你看到了小方？"

韩棠道："他没有看到我。"

老伯慢慢地点了点头，仿佛表示赞许。

韩棠忽然又道："就算是有人看到我，也不认得。"

说这句话的时候，他冷漠的眼睛里才有了一点表情，那是种带三分讥诮、七分萧索的表情。

律香川从未在别人眼中看到过这种表情。

老伯道："你可以走了，明年你不来也无妨，我知道你的心意。"

韩棠垂下头，沉默了很久，才一字字道："明年我还要来，每年我只出来一次。"

老伯面上忽然露出同情之色，只有他知道这人的痛苦，但却无法相助，也不愿相助。

这一点他深深引为自疚，他不愿见到韩棠，也正是这缘故。

韩棠已转过身，慢慢地向外走。

律香川忍不住道："我房里没有人，你若愿意留下来喝杯酒，我陪你。"

韩棠摇摇头，连看都没有看他一眼，就走了出去。

律香川苦笑，忽然发觉老伯在盯着他，目光仿佛很严厉。

老伯对他很少这么严厉，他知道自己做错了一件事，却不知做错了什么。

近来他已很少做错事。

老伯忽然道："你很同情他？"

律香川垂下头，又点点头。

老伯道：“能同情别人，是件好事，你可以同情任何人，却不能同情他。”

律香川想问为什么，却不敢问。

老伯自己说了出来，道：“因为你若同情他，他就会发疯。”律香川不懂。

老伯叹了口气，道：“他本来早就该发疯了的，甚至早就该死了，一直到现在他还能好好地活着，就因为他觉得世上的人都对他不好。”

律香川还是听不懂，终于忍不住问道：“他究竟是个怎样的人？以前做过什么事？”

老伯脸色又沉了下来，道：“你不必知道他是个怎样的人，有很多事你都不必知道。”

律香川垂首道：“是。”

老伯忽又长长叹了一声，道：“但我不妨告诉你，他做过的事以前绝没有人做过，以后只怕也没有人能做！”

律香川垂着头，正想退出，忽然听到外面传来一阵骚动声，还有人在惊呼，屋内后花园闯来了个怪物。

闯入花园来的不是怪物，是铁成刚，只不过他看来的确很可怕。

他全身上下几乎已没有一处完整的地方。他头发大半都已被烧焦，脸也被烧得变了形，一双眼睛赤红如血，嘴唇干裂得就像久旱的泥土。

他闯进来的时候，正如一只被猎人追逐的野兽，咽喉里发出一声喘息与嘶喊，几乎没有人能听出他呼喊的是谁。

他喊的是：“老伯。”

那时孙剑正在和“四方镖局”胡总镖头带来的一个女人使眼色。

他不知道这女人是谁，只知道这女人不是胡老二的妻子，也不是个好东西，而且一直在对他暗送秋波。

对这种女人的诱惑，他从不拒绝，这女人的诱惑简直是种耻辱，他正在想用个什么方法将她带到没人的地方。就在这时，他看到了铁成刚。

他已认得铁成刚很久，但现在却已几乎完全不认得这个人，直到他冲过去，扶起他，才失声惊呼道："是你！你怎会变成这个样子的？"

他挥手，要酒。酒灌下铁成刚的咽喉后，他喘息才静了些，却还是说不出话。

孙剑看出了他目中的恐惧之色，道："不用怕，到了这里，你什么都不用怕了，谁都不用怕了，在这里绝没有人敢碰你一根毫毛！"

这句话刚说完，他就听见有人淡淡道："这句话你不该说的。"

说话的人是一泉道人，黄山三友已追来了。

孙剑道："不行！"

一泉道："你也许还不知道他是个杀人的凶手，而且杀的是他自己的舅父。"

孙剑沉声道："我只知道他是我的朋友，而且受了伤，只知道他信任我，所以才会到这里来，所以谁都休想将他带走。"

一泉沉着脸，冷冷道："找你的父亲来，我们要跟他说话。"

孙剑额上青筋凸起，道："我父亲说的话也一样，就算天王老子也休想从这里带走我们的朋友！"

一泉怒道："好大胆，你父亲也不敢对我们如此无礼！"

突听一人道："你错了，他的无礼是遗传，他父亲也许比他更无礼。"

说话的人语声虽平静，却带着一种无法形容的威严。

一泉道："你怎知……"

孙玉伯道："我当然知道，因为，我就是他父亲。"

一泉怔了怔，他只听说过"老伯"的名字，并没有见过。

一云道："孙施主与贫道等素不相识，所以才会如此说话。"

孙玉伯道："无论你们是谁，我说的话，都一样。"

一泉变色道："久闻孙玉伯做事素来公道，今日怎会包庇凶手？"

孙玉伯道："就算他是凶手，也得等他伤好了再说，何况谁也不能证明他是凶手。"

一云道："我们亲眼所见，难道会假？"

孙玉伯道："你们亲眼所见，我并未见到，我只知他若是凶手，就绝不敢到这里来！"

没有人敢欺骗老伯。

无论谁欺骗了老伯，都是在自掘坟墓。一云大叫道："你连黄山三友的话，都不信？"

孙玉伯道："黄山三友是人，铁成刚也是人，在这里无论谁都一样有权说话，我要听听他说的。"

铁成刚忽然用尽全身力气，大喊道："他们才是凶手，我有证据，他们知道我有证据，所以才一定要杀我灭口！"

孙玉伯道："证据在哪里？"

铁成刚挣扎着往怀中取出一双手，一双已干瘪了的手。

看到这双手，黄山三友面上全都变了颜色。一石忽然尖声道："杀人者死，用不着再说，杀！"

他的剑一向比声音快，剑光一闪，已刺向孙玉伯的咽喉。

一泉和一云的剑也不慢，他们剑锋找的是铁成刚和孙剑。

老伯没有动，连手指都没有动。

别的人脸上已露出惊怒之色，几乎每个人都想冲过来。

用不着他们冲过来，根本用不着。

一石的剑刚刺出，就跌落在地上。

他握剑的手臂上已钉满了暗器，三四十件各式各样不同的暗器，只有一点相同之处，那就是它们的速度。

一石甚至没有看到这些暗器是从哪里来的，只看到一直站在孙玉伯身后的一个斯斯文文的少年人仿佛抬了抬手。

暗器忽然间就已刺入了他的手臂。

他甚至连疼痛都没有感觉到，因为他这条手臂忽然间就完全麻木。

孙剑的人似已变成了怒狮，向一泉扑了过去，就好像不知道一泉的手里握着剑，不知道剑是可以杀人的。

他怒气发作的时候，前面就算有千军万马，他也敢赤拳扑过去。

一泉从未想到世上竟有这么样的人，一惊，手里的剑已被一只手抓住，一只有血有肉的手。

"咯噔！"这柄百炼精钢铸成的剑，已断成两截。

孙剑的手上也在流血。

流血他不在乎，只要将对方打倒，他什么都不在乎。

连旁边的一云，都被吓呆了，手里的剑慢了一慢。

这种人手里的剑当然不会太慢，就在这刹那间，不知从哪里冲过一人来。谁也没有看清他长得是高是矮，是胖是瘦，只看到他穿着一身暗灰色的衣服。

但每个人都听到他说了一句话，九个字！

“谁对老伯无礼，谁就死！”

说九个字并不要很长的时候，但这九个字说完，黄山三友就变成了三个死尸，三个人几乎是在同一刹那间断气的。

就在这人冲出来的那一刹！

他冲过来的时候，左手的匕首已刺入了一泉的肋下。

匕首一刺入，手立刻松开。

一泉的惨呼还未发出，这只手已挥拳反击在一石的脸上。

他拳头击碎一石的鼻子的时候，也就是他右手抓住一云腰带的时候。

一云大惊挥剑，但剑还未出鞘，他的人已被抡起，摔下。

他的头恰巧摔在一石的头上，几乎每个人都听得见他们头骨撞碎时发出的声音，而那种声音本来只有在地狱中才能听到的。

还是没有人能看到这灰衣人的面目。

他右手抡起一云的时候，左手已在自己脸上抹了一把，他脸上立刻染上了从一石鼻子里流出来的血。

其实他根本不必这样做。大家全已被吓呆了，哪有人还敢看他的脸？

来到这里的大多是武林豪杰，杀两三个人对武林豪杰说来，也算不了什么大事，但大家还是被他吓呆了。

杀人并不可怕，可怕的是他杀人的方法——迅速，准确，残酷。

从没有人杀人能如此迅速、准确、残酷！

铁成刚带来的那双干瘪了的手里，抓着的是半段杏黄色的剑绦，一块青蓝色的布，布上还有个黄铜的扣子。

丝绦正和黄山三友剑上的丝绦一样，碎布当然也和他们所穿的道袍质料相同。但这些并不重要，他们是不是凶手都不重要。

重要的是：“谁对老伯无礼，谁就得死！”

这句话谁都不反对，也不会忘记。孟星魂更难忘记。

就在黄山三友断气的时候，孟星魂离开了老伯的菊花园。

他已不必再留下去。他所看到和听到的事，已足够说明孙玉伯是个怎么样的人。

他杀人的第一步，就是先设法去知道对方是个怎么样的人，至于别人的事，都可以等到以后慢慢再知道，他并不着急。

现在，距离高大姐给他的期限还有一百一十三天。

现在他杀人行动的第一步已开始！

第三章

以牙还牙

孙剑平素是最恨做事不干脆的人，他做事从不拖泥带水。他无论做什么事，用的往往都是最直接的法子。老伯要他去找毛威，他就去找毛威，从自己家里一出来，就直到毛威门口。

他永远只走一条路，既不用转弯抹角，更不回头。

毛威正坐在大厅和他的智囊及打手喝酒，门丁送来了张名帖——一张普普通通的白纸上，写着两个碗大的字："孙剑"。

毛威皱了皱眉头，道："这人的名字你们谁听说过？"

他的智囊并不孤陋寡闻，立刻回答道："好像是孙玉伯的儿子。"

毛威的眉皱得更紧，道："孙玉伯？是不是那个叫老伯的人？"

智囊道："不错，他喜欢别人叫他老伯。"

毛威道："这次他的儿子来找我干什么？"

智囊沉吟道："听说老伯很喜欢交朋友，八成是想和大爷您交个朋友。"

其实他也知道这其中必定还另有原因，只不过他一向只选毛威喜欢听的话说。

毛威笑了笑，道："既然如此，那就请他进来吧！"

孙剑用不着别人请，自己已走了进来，因为他不喜欢站在门口等。

没有人拦得住他，想拦住他的人都已躺在地上爬不起来了。毛威霍然长身而起，瞪着他。

孙剑并没有奔跑跳跃，但三两步就走到他面前，谁也无法形容他行动的矫健迅速。

连毛威心里都在暗暗吃惊，出声问道："阁下姓孙？"

孙剑点点头，道："你就是毛威？"

毛威也点点头，道：“有何贵干？”

孙剑道：“来问你一句话。”

毛威看了他的智囊和打手一眼，道：“问什么？”

孙剑道：“你是不是认得方幼苹的老婆，是不是和她有不清不楚的关系？”

毛威的脸色变了。

他脸色一变，他的保镖打手就冲了过来，其中有个脸上带着疤痕的麻子，一步蹿了过来就想推孙剑的胸膛。

孙剑忽然瞪起眼，厉声道：“你敢！”他发怒的时候全身立刻充满了一种深不可测，却又威棱四射的力量，令人望而生畏。麻子的手几乎立刻缩了回去。

但打手这碗饭并不是容易吃的，要吃这行饭，就得替人拼命，近年来毛威的势力日渐庞大，他已很少有为主人卖命的机会。

近年来他日子也过得很好，实在不想将这个饭碗摔破，咬了咬牙齿，手掌变为拳头，一拳向孙剑胸膛上击出。

孙剑忽然叼住了他的手腕，将他手臂反拧，跟着一个肘拳击出，打在他脊椎上。

麻子面容立刻扭曲，发出一声凄厉的尖叫。

但尖叫声并没有将他骨头拆碎的声音罩住，他倒下去的时候，身子已软得好像是一摊烂泥。

孙剑也觉得自己出手太重了些，但他不想在这种人身上多费手脚。

这是他小时候从一个人那里学来的，做事要想迅速达成目的，就不能选择手段，最好第一击就能先吓破对方的胆。

和麻子一起冲过来的人，果然没有一个人再敢出手，饭碗固然重要，但和性命比较起来，还是要差得远一点。

孙剑再也不看他们一眼，盯着毛威，道：“我问你的话，你听到没有？”

毛威的脸已涨红，脖子青筋暴露，道：“这件事与你又有何干？”

孙剑的手突又挥出，掌缘反切在他右边的肋骨上。

这一招并不是什么精妙的武功，甚至根本全无变化，但却实在太准、太快，根本不给对方任何闪避招架的机会。

毛威的尖叫声比那麻子更凄惨。

他已有十几年没有挨过打。

孙剑道："这次我没有打你的脸，好让你还可以出去见人，下一次就不会如此客气了。"

他看着毛威手抱着胸膛，在地上翻滚，不等他停下，就揪住他衣襟，将他从地上拉起，道："我问你，你就得回答，现在你明白了么？"

毛威的脸已疼得变了形，冷汗滚滚而落，咬着牙点了点头。

孙剑沉着声问道："你搭上了方幼苹的老婆，是不是？"

毛威又点头。

孙剑道："你还打算跟她鬼混下去？"

毛威摇摇头，喉咙里忽然发出低沉的嘶喊，道："这女人是条母狗，是个婊子。"

孙剑看到他目中露出愤怒怨毒之意，就知道他绝不会再跟那女人来往，因为他已将这次受的罪全都怪在她头上。

世上大多数人自己因错误而受到惩罚时，都会将责任推到别人身上，绝不会埋怨自己。

孙剑觉得很满意，道："好，只要你不再跟她来往，一定可以活得长些。"

毛威暗中松了口气，以为这件事已结束。

谁知孙剑忽又道："但以后她若和别的男人去鬼混，我也要来找你。"

毛威吃了一惊，嘶声道："那女人是个天生的婊子，我怎么能管得住她？"

孙剑盯着他的眼睛，缓缓道："我知道你一定可以想得出法子的。"

毛威想了想，目中忽然露出一丝光亮，道："我明白了！"

孙剑脸上第一次有了笑容，道："很好。只不过这种天生的婊子，随时随地都会偷人，你既然已想出了法子，就愈快愈好。"

毛威道："我懂得。"

孙剑的拳头忽又笔直伸出，打在他两边肋骨之间的胃上。

毛威整个人立刻缩了下去，刚吃下的酒菜已全都吐了出来。

孙剑的脸上却还露着笑容，道："我这不是打你，只不过要你好好记得我这个人而已。"

他把人打得至少半个月起不了床，还说不是在打人，这实在令人哭笑不得。

但他说的话，别人只有听着。

孙剑走过去，将桌上的大半壶酒一饮而尽，皱皱眉道："到底是暴发户，连好酒坏酒都分辨不出，又怎么分得出女人的好坏呢！"

毛威脸上忽然挤出一丝笑容，道："姓方的那女人虽是个婊子，却的确是个够味的女人。"

孙剑道："你的女人呢？"

毛威的脸色又变了变，道："她……她们倒没有一个比得上她的。"

孙剑盯着他，忽然笑了笑，摇着头道："你的话我不信，你连酒都不懂，怎么懂女人？"

这句话未说完，他忽然冲了进去。

他已看到屏风后有很多的女人在躲着偷看，冲进去就选了个最顺眼的拉过来，扛在肩上。

这女人似乎已被吓昏了，连动都不动。

毛威变色道："你……你想干什么？"

孙剑道："不干什么，只不过是干你常常干的。"

他又拉住了毛威的手，厉声呵斥道："送我出去。"

他不想半途中被人暗算，所以拉个挡箭牌，他不怕别的，只是怕麻烦。

毛威只有送他出去，几乎连眼泪都流了下来，道："只要你放了凤娟，我送你一千两金子。"

孙剑眨眨眼，道："她值那么多？"

毛威咬着牙，不肯回答。

孙剑道："你很喜欢她？"

毛威还是拒绝回答。

孙剑又笑了，道："很好，那么你下次打别人老婆主意时，就该先想想自己的女人。”

门外有匹高头大马，显然是匹良好的千里驹。

孙剑一出门，就跳上马绝尘而去，绝不给别人报复的机会。

这也是他小时候在一个人那里学来的。

这人不大说话，说的每句话都令人很难忘记。

马行十里，他肩上扛着的那女人忽然吃吃地笑了。

孙剑道：“原来你没有晕过去。”

凤娟吃吃笑着道：“当然没有，我本来就想跟着你走的。”

孙剑道：“为什么？”

凤娟道：“因为你是男子汉，有男子气概，而且我觉得这样子很刺激。”

孙剑道：“毛威对你不好？”

凤娟笑道：“他虽有钱，却是个小气鬼，若对我不好，怎舍得为我花一千两金子？”

孙剑点点头，忽然不说话了。

凤娟道：“这样子难受得很，你放我下去好不好？我想坐在你怀里。”

孙剑摇摇头。

凤娟叹了口气，道：“你真是个怪人。”

孙剑打马更急。

前面一片荒野，不见人迹。

凤娟已开始有些害怕，忍不住问道：“你要把我带到哪里去？”

孙剑道：“去一个你想不到的地方。”

凤娟松了口气，媚笑道：“我知道你想要找刺激，其实什么地方都一样的。”

过了半晌，她忽然又道：“我认得那姓方的女人，她叫朱青。”

孙剑道：“哦。”

凤娟道：“她真是个天生的婊子，每天都想和男人上床，若要她不偷人，简直比要狗不吃屎还难，我真不懂毛威能想出什么法子。”

孙剑道：“死婊子不会偷人的！”

他抱着凤娟的手忽然松开，凤娟立刻从他肩上摔下来，就像是一袋面粉似的重重跌在地上。

她尖叫道："你这是干什么？"

孙剑的马冲出去一箭之地，再兜回来，骑在马鞍上冷冷地瞧着她。

凤娟伸出手，道："快拉我上去。"

孙剑道："我若要拉你上来，就不会让你跌下去。"

凤娟还想作出媚笑，但恐惧已使她脸上的肌肉僵硬，嗔声道："你抢走我，难道就是把我带到这里来摔下我？"

孙剑道："一点不错。"

凤娟大叫道："你这是什么意思？"

孙剑笑笑，座下的马已绝尘而去，他做的事不喜欢向别人解释。

尤其不喜欢向女人解释。

凤娟咬着牙，放声大骂，将世上所有恶毒的话全都骂了出来。

然后她忽又伏地痛哭。

她痛哭并不是因为她全身骨头疼得像是要散开，也不是因为她要一步步走回去。

她痛哭只是因为她知道毛威不会相信她的话，绝不会相信孙剑并没有对她做什么事。

孙剑若是真做，她反而一点也不会伤心。

世上本就有种女人永远不知道什么叫侮辱，什么才叫作羞耻。

她就是这种女人。

别人侮辱了她，她反而开心；没有侮辱她，她反而觉得羞耻。

她也永远无法明了孙剑的意思。

孙剑这么做，只不过是要毛威也尝尝自己老婆被人抢走的滋味。

以牙还牙，以血还血。

老伯虽然也知道用这种法子来惩罚别人并不太好，但他却一直没有想出更好的法子。

很少有人还能想出更好的法子。

孙剑骑在马上，自己也忍不住笑了。

老伯并没有指示他应该怎么样处理这件事，但他却相信就算老伯亲自出马，也未必能比他做得更好。

近年来，他已渐渐学会了老伯做事的方法与技巧。

他对自己觉得很满意。

黄昏时，老伯还是逗留在菊花园里，为菊花除虫，修剪花枝。

他喜欢自己动手，他说这是他的娱乐，不是工作。

看到文虎、文豹兄弟走进来的时候，他才放下手里的花剪。

接见属下，是他的工作。

他工作时工作，娱乐时娱乐，从不肯将两件事搞混乱。

他不会将任何事搞混乱。

文虎、文豹是两个精悍的年轻人，但面上已因艰苦的磨炼而有了皱纹，看起来比他们实际的年龄要苍老得多。

现在他们脸上都带着种疲倦之态，显然这两天来他们工作得很努力，但只要能看到老伯赞许的笑容，再辛苦些也算不了什么。

老伯在微笑，道："你们的事已办完了？"

文虎躬身道："是！"

老伯道："快把经过说给我听！"

文虎道："我们先打听出徐大堡主有个女儿，就想法子将她架走。"

老伯道："他女儿多大年纪？已经出嫁了么？"

文虎道："她今年已二十一，还没有出嫁，因为她长得并不漂亮，而且脾气出名的坏，据说她以前也曾定过亲，但她却将未来的亲家翁打走了！"

老伯点点头，道："说下去。"

文虎道："我们又想法子认识了江家兄弟，把他们灌醉，然后带到徐姑娘那里去。"

文豹接着道："那两个小子喝醉时，见到女人就好像苍蝇见到了血，也不管这女人是谁，一见面立刻就动手蛮干。"

文虎道："等他们干完了，我们才出手，给了他们个教训。"

文豹道："我们动手时很留心，特别避开了他们的头顶和后脑，绝不会把他们打死，但至少在三个月内他们绝对起不了床。"

他们兄弟一个练的是打虎拳，一个练的是铁砂掌。他们的武功也和老伯属下其他的人一样，一点花巧都没有，却快得惊人。

老伯曾说，武功不是练给别人看的，所以根本用不着好看。

江家兄弟清醒时也许还能跟他们过过招，但喝得大醉时，除了唉声和叫痛外，什么花样都使不出来了。

文虎道："然后我们就雇了轿，将这三个人全都送到徐青松那里去。"

文豹道："只可惜我们看不到徐青松那时脸上的表情。"

他们说得很简短，很扼要，说完了立刻就闭上了嘴。

他们知道老伯不喜欢听废话。

老伯脸上全无表情，连微笑都已消失。

文虎、文豹的心开始往下沉，他们已知道自己必定做错了事。

无论谁做错了事都要受惩罚，谁也不能例外。

过了很久，老伯才沉声道："你们知不知道做错了什么？"

文虎、文豹一起垂下头。

老伯道："江家兄弟在床上躺三个月并不算多，徐青松处事不公，受这种教训也是应该的，这方面你们做得很好。"

他声音忽然变得很严厉，厉声道："但徐青松的女儿做错了什么？你们要将她折磨成那样子？"

文虎、文豹额上都流下了冷汗，头更不敢抬起。

老伯发怒的时候，绝没有人敢向他正视一眼。

又过了很久，老伯的火气才消了些，道："这主意是谁出的？"

文虎、文豹抢着道："我。"老伯瞧着兄弟两人，目中的怒意又消了些，缓缓说道："文虎比较老实，一定出不了这种主意。"

文豹头垂得更低，嗫嚅着道："这件事大哥本来就不大赞成的。"

老伯背负着手，踱了个圈子，忽然停在他面前，道："我知道你还没有娶亲。"

文豹道："还没有。"

老伯道："立刻拿我的帖子，到徐家堡去求亲，求徐姑娘嫁给你。"

文豹就好像忽然被人踩了一脚，立刻变得面色如土，嗄声道："但是……但是……"

老伯厉声道："没有什么但是不但是的，叫你去求亲，你就去求亲。你害了人家一辈子，你就得负责任，就算徐姑娘的脾气不好，你也顺着她一点。”无论谁做错事都得受惩罚，恐怕也只有老伯能想得出！

文豹擦了汗，说道：“徐大堡主若是不答应呢？”

老伯道：“他绝不会不答应，尤其在这种时候他更不会。”

徐青松当然不会拒绝，现在他只愁女儿嫁不出去，何况文豹本来就是个很有出息的少年。

文豹不敢再说话，垂头丧气地走了出去。

走出菊花园，文虎才拍了拍他兄弟的肩，微笑道：“用不着垂头丧气，你本来早就该成亲了。

“成亲之后你慢慢就会发现，有个老婆也并不是什么太坏的事，甚至还有诸多好处。”

文豹从鼻子里哼了一声，喃喃道：“好处？有他妈的见鬼的好处。”

文虎道：“常言说得好，有钱没钱，娶个老婆好过年。至少冬天晚上，你在外面冻得冷冰冰的时候，回去立刻就可以钻进老婆的热被窝，她绝不会轰你出来。”

文豹冷笑道：“现在我也有很多人的热被窝可以钻，每天都可以换个新鲜的热被窝。”

文虎道：“但那些热被窝里也许早就有别的男人了，你也只有在旁边瞧着干瞪眼。老婆却不同，只有老婆才会每天空着被窝等你回去。”

文豹道：“我想起了一句话，不知道你听过没有？”

文虎道：“什么话？”

文豹道：“就算你每天都想吃鸡蛋，也用不着在家里养只母鸡。”

文虎笑了，道：“这比喻不好，其实老婆就像是吃包饭。”

文豹道：“吃包饭？”

文虎道：“只要你愿意，随时可以回去吃，但是你若想换换口味，还是一样可以在外面打野食。”

文豹也笑了，只笑了笑，立刻又皱起了眉，叹道：“其实我也并不是真的反对娶老婆，但娶来的若是个母老虎，那有谁受得了？”

文虎道：“我也想起了一句话，不知道你听说过没有？”

文豹道：“你说。”

文虎道："女人就像是匹马，男人是骑马的，只要骑马的有本事，无论多难骑的马，到后来还是一样变得服服帖帖，你要她往东，她绝不敢往西的！"

他又笑了笑，接着道："你嫂子的脾气本来也不好，可是现在……"

文豹道："现在她脾气难道很好么？"

文虎抬起了头，昂然道："现在我已渐渐让她明白了，谁是一家之主。"

他的话刚说完，菊花丛中忽然走出个又高又大的女人，一双比桃子还大的杏眼瞪着他，道："你倒说说看，谁是一家之主？"

文虎立刻变得像是只斗败了的公鸡，赔笑道："当然是你。"

老伯又举起花剪，他发现很多株菊花枝上的叶子都太多，多余的叶子不但有碍美观，而且会夺去花的养分，有碍它的生长。

老伯不喜欢多余的事，正如不喜欢多余的人一样！

他手下真正能负责实际行动的人并不多，但每个人都十分能干，而且对他完全忠诚。

对于这一点，他一向觉得很满意。

他知道自己无论指挥他们去做什么事，他们大多能够圆满完成任务，所以近年来他已很少自己出手。

但这并不是说他已无力出手。

他确信自己还有力量击倒任何一个想来侵犯他的人！

那天一石的剑向他击过来的时候，在那一瞬间，他已看出了一石剑法中的三处破绽，就算别人不出手，他还是能在最后一刹那间将对方击倒。

他出手往往都要等到最后一刹那，因为这时对方发力已将用尽，新力还未生，而且以为这一击已将得手，心里的警戒必已松懈。这时他必定反击，往往就是致命的一击。

只不过要能等到最后一刹那并不容易，那不但要有过人的镇静和勇气，还要有许多痛苦的经验。

他发现律香川虽不是他亲生的儿子，但对他的忠心与服从甚至连孙剑都比不上，他对这少年近来日益欣赏，已决心要将自己的事业传给他一半。

因为只有他的冷静与机智，才可以弥补孙剑暴躁的脾气，愈庞大的事业，愈需要他这种人来维持的。

创业时就不同了。

创业时需要的是能拼命，也敢拼命的人。

老伯又想起那灰衣人，他当然知道这人是谁。

却一直绝口不提此事，就好像这人根本就没有出现过一样。

这人的确为他做过很多别人做不到的事，但现在若还留下他，却只有增加麻烦，因为无论遇着什么事，他都只会以暴力去解决。但老伯却已学会很多种比杀人更有效的方法，现在他要的不是别人的性命，而是别人的服从与崇拜。

因为他已发现要了别人的性命对自己并没有什么好处。

但当能得到别人的服从与崇拜，就永远受益无穷。

这道理那灰衣人永远不会懂得。

老伯叹了口气，对那天他用的手段颇为不满，而且一个人创业时总难免有很多不可告人的秘密，他知道的秘密太多。

若是换了别人，也许早已将他除去。

但老伯却没有这样做，这也正是他与众不同的地方，有时他做事虽然不择手段，但他的确是个豪爽慷慨、心胸宽大的人。

这一点谁都无法否认。

老伯究竟有多少事业？是些什么样的事业？

是个秘密，除了他自己之外，谁也不知道。

这么多事业当然需要很多人维持。

所以老伯一直在不断吸收新血。

他忽又想起了那天来拜寿的那个衣着朴实、态度沉静的少年，他还记得这少年叫陈志明。

他对这少年印象很好，觉得只要稍加训导，就可以成为他一个非常优秀的助手。只可惜，这少年自从那天之后，就没有再出现过。

“我也许的确老了，照顾的事已不如从前那样周到，那天竟忘记将他留下来。”老伯又叹了口气，反手捶了捶腰，望着西方清丽的夕阳，他心里忽然有了种凄凉萧条之意。

近来他时常会有这种感觉，所以已渐渐将希望寄托在下一代身上。

尤其是律香川。

律香川每次去办事的时候，老伯从没有担心过他会失败。

这次却不同，这次老伯竟觉得有些不安，因为他很了解十二飞鹏帮的实力，也很了解万鹏王的手段。

他生怕律香川此去会遭到危险。

但立刻他又觉得自己的顾虑实在太多，律香川一向都能将自己照顾得很好，此去就算是不能完成任务，也必定能全身而退。

“顾虑得太多，只怕也是老年人才会有这种心情吧！”老伯叹息着，在夕阳下，缓缓走回自己的屋子，这时他忽然觉得自己实在已到了应该收手的时候了。但这种感觉却总是有如昙花一现，等到明天早上太阳升起的时候，他立刻又会变得雄心万丈。

世上本就有种人是永远不会被任何事击倒的，连“老”与“死”都不能。

这种人当然并不多，老伯却无疑是其中一个。

律香川坐在车子里的时候，心里想着的并不是他就要去对付的万鹏王，而是那杀人如割草的灰衣人。

黄山三友逞阴谋那天，他也没有看到这灰衣人的面目，却已隐隐猜到他是谁了。他并没有去问老伯。

老伯自己不愿说的事，世上绝没有任何人能要他说出来。老伯既然绝口不提这个人，他就连问都不必问。

他只隐隐感觉到这人必定就是韩棠。

就连他都没有见过那种迅速、冷酷的杀人方法。

韩棠做的事，以前没有人做过，以后也不会有人能做到。

近年来律香川的地位已日益重要，权力也日渐增大，已可直接指挥很多人，但无论他用什么方法，却无法探出韩棠一点来龙去脉。

谁也不知道这人以前在哪里，做过些什么事，武功是哪里学来的。

每个人活到四五十岁都必定有段历史，这人却完全没有。

世上就好像根本没有这么一个人存在。

第四章

十二飞鹏

这辆马车是经过特别而精心设计的，整个车厢就是一张床，上面铺着柔软的垫，车身的颤动也特别小。

睡在车厢里，几乎就跟睡在家里的床上同样舒服。

律香川要去做一件事的时候，就准备以全身每一分力量去做，绝不肯为别的事浪费丝毫精力。

他当然也知道这一次的任务十分艰巨。

“一个男人若为了一个女人而沉迷不能自拔，这人就根本不值得重视，所以你也不必去同情他。”

“男人就应该像个男人，说男人的话，做男人的事。”

这是老伯的名言之一，别人也许会奇怪，老伯怎会为了这种事去冒这么大的险，去得罪万鹏王这种人。

只有律香川懂得老伯的心意。

万鹏王早已是老伯的对象，这次他若肯将小姑娘放走，就表示他已向老伯低头，那么他很快就会变成老伯的朋友。

否则他就是老伯的敌人。

“我对人了解得并不多，只知道世上有两种人：一种是仇敌，一种是朋友。做我的朋友，还是仇敌，都由你选择，却绝没有第三种可选的。”

这也是老伯的名言之一。

其实他给别人选择的机会并不多，因为无论谁想做他的仇敌，就得死！

现在的问题是，万鹏王并不是个容易被吓倒的人，他的选择很可能跟别人不同！他若选择了后者，那么一场血战也许立刻就要发生了，这一战就算能得胜，付出的代价也必定十分惨烈。

律香川做事一向慎重周密，他已对万鹏王这个人调查得很清楚。

万鹏王并不姓万，也不姓王，据说他是个武林中极有地位的人的私生子，但谁也不能证实。

他十七岁以前的历史几乎没有人知道。律香川只知道他十七岁时是家镖局的趟子手，半年后就升为镖头，十九岁时杀了那家镖局的主人，将镖局占为己有。

但一年后他就将镖局卖掉，做了当地的捕头，三年中他捕获了二十九个凶名在外的大盗，杀了其中八个，但却放走了二十一个。

这二十一人从此对他五体投地，江湖中的黑道朋友，从此都知道江南有个捕头，武功极高，义气干云，简直已可与隋唐时卖马的好汉秦琼秦叔宝前后辉映。

二十四岁他辞去捕头职位，开始组织“大鹏帮”。

开始的时候“大鹏帮”只有三处分舵，百余名党徒，经过多年的奋斗，并吞了其他三十个帮会，才正式改名为“十二飞鹏帮”。

因为它在江南十二个主要的城市中都有分坛，每一个坛统率四个分堂，每一堂指挥八个分舵。

现在十二飞鹏帮已是江南最大的帮派，连历史悠久、人数最多的丐帮都凡事让它三分。

当年无名镖局中一个无名趟子手，现在已是这最大帮派的总瓢把子，直接间接归他指挥的人至少在一万以上。

他的财产更多得无法统计。

当年他说的话无人理会，现在他无论说什么，都是命令。

这一切并不是幸运得来的。据说他身上大大小小的伤疤多达四十余处，一个人的武功本来就不算高，经过这么多生死血战后，也会变得十分可怕，何况他十七岁时就已是个很可怕的人。

那时他捕获的二十九名大盗，就有一大半都是江湖中的一流高手，其中还包括少林的叛徒“凶僧”铁禅和辰州言家拳的高手“活僵尸”。

近年来江湖中更传闻万鹏王得到昔日天山大侠狄梁公留下的一本武功秘籍，将狄梁公威震八方的“七禽掌”加以融会贯通，练成一种空前绝后的掌法，叫作“飞鹏四十九式”，威力之强，无可比拟。

所以，无论谁想击败这么样的一个人，都是不容易的。

律香川早已深深体会到此行责任的重大，因为老伯和万鹏王这一战是否能避免，就得看他处理这件事的方法是否正确。

不到万不得已，他绝不愿意看到这一战爆发。

他生怕万鹏王不愿接见他，所以特地找了江湖中的四大名公子之一，“南宫公子”南宫远替他引见。

南宫远是“南宫世家”的最后一代，风流倜傥，文武双全，玩的事更是样样精通，江南的名妓就算还有不认得南宫公子的，也不敢承认。

因为那实在丢人极了。

这种人花钱自然很多，南宫世家近年来却已没落，南宫远花的银子，十两中至少有五两是老伯“借”给他的。

律香川相信，他绝不愿失去老伯这么样一个朋友。

恰巧他也是万鹏王的朋友。

万鹏王也和其他那些有钱的男人一样，四十岁以后，兴趣已不完全在女人身上，地位愈稳定，兴趣就愈广。

除了女人外，他还喜欢赌，喜欢马，喜欢学学风雅，其中最花钱的当然还是最后一样，要学风雅不但要舍得花钱，而且要懂得花钱。

恰巧南宫远对这些都是专家。

所以万鹏王也很需要他这么样一个朋友。

马车在枫林外停下。

一个人，负手站在枫林中，长身玉立，白衣如雪。

他身旁的树下有一张几，一面琴，一壶酒，一个青衣垂袖的童子，一匹神骏非凡的好马。

远看他虽然还是个少年，其实眼角早已有了皱纹。

他那种成熟而潇洒的风采，本就不是任何年轻人学得像的。

律香川走下马车，走了过去。他忽然发现南宫远目光中带着种沮丧之色，立刻停下了脚步。

南宫远却慢慢地走了过来，在他面前停下。

律香川忽然道：“他不肯？”

南宫远轻轻叹了一口气，沉着声道："他拒绝见你。"

律香川道："你没提老伯？"

南宫远道："他说他和老伯素来没有来往，也不想有什么来往。"

律香川道："你不能要他改变主意？"

南宫远道："谁也不能要他改变主意。"律香川点头没再问，其实他早已知道自己刚才那句话是多问。

万鹏王若是个时常改变主意的人，今天他也许还是镖局中的一个趟子手，只有在每月领饷的时候，才能带着醉去找一次女人。

律香川面上没有一点表情，心里面却已打了个结。

他不知道用什么法子才能将这个结解开。

他只知道这件事只许成功，不能失败，因为失败的后果太严重。

南宫远忽又道："每个月初一，是万鹏王选购古董字画的日子。"

律香川目中立刻露出一丝希望之色，道："明天就是初一。"

南宫远点点头，长长叹息了一声，慢声道："光阴似箭，日月如梭。绿鬓少年，忽已白头。人生一梦，梦醒便休。终日碌碌，所为何由？"

律香川淡淡地笑了笑，笑容中带着种讥讽之意，忽然自怀中取出了个很大的信封，道："也许为的就是此物。"

南宫远道："这是什么？"

律香川道："五千两银票，这是老伯对你的敬意。"

南宫远看着他手里的信封，也笑了，笑容中的讥讽之意更浓，缓缓道："我这种人还有什么值得尊敬？"

他忽然回身，到树下，手抚琴弦。

琤琤一声，琴声响起。

南宫远大声而歌："人生一梦，梦醒便休。终日碌碌，所为何由？"

消沉的歌，惨淡的琴，夕阳照着枫林，天地间忽然变得十分萧索。

律香川静静地站着，他现在无论地位和成就都比南宫远高得多，但在南宫远面前，他总是觉得仿佛缺少了什么。

他缺少的是"过去"。

他拥有"现在"和"将来"，南宫远却拥有"过去"，只有"过去”是任何人都买不到的。

无论用多大的代价都买不到。

律香川想到过去那一段艰苦奋斗的岁月，心里忽然涌出一股愤怒之意。

他走过去，将信封放下，凝注着南宫远，一字字道：“我的梦永远不会醒，因为我从没有做过梦。”

南宫远没有抬头，只是淡淡道：“但你也知道，每个人偶尔都该做做梦的，是不是？”

律香川知道。

他的毛病就是不做梦，所以他紧张，紧张得已渐觉疲劳。

可是他宁愿如此。

每个人都有自己的生活方式，他选的是比较复杂的一种。

琴声猝绝。

他大步走回马车，发出简短的命令：“古华轩。”

初一。

附近三百里内的古董商都来到山脚下，有的甚至是从千里外赶来的。

因为今天是万鹏王选购古董的日子，万鹏王无疑是个好主顾。

这些古董商人彼此都已很熟悉，其中只有个态度沉静、举止斯文的少年很陌生，大家只听说他是古华轩主人派来的代表。

白云缥缈，古堡似在云端，高不可攀。白云间忽然传来一响钟声，大家才开始走上山去。

律香川第一眼看到万鹏王的时候，心里着实吃了一惊。

连他都从未见到过这么样的人物。

万鹏王是个天神般的巨人，坐在那里就和别人站着差不多高。

有人说，四肢太发达的人，头脑未免简单。

万鹏王却显然是个例外。

他目光冷静锐利而坚定，显示出他的智能和决心，而且带着无比的自信，使得任何人都不敢低估他的力量。

他的手掌宽而厚大，随时随刻都握得很紧，像是时时刻刻都在握着一股力量，随时都准备将冒犯他的人击倒。每个人在他面前说话都得小心翼翼，他却连看也懒得看别人。

直到律香川走过去，他眼睛里忽然射出一股光芒，刀一般逼视着律香川，过了很久，才缓缓道："你是古华轩派来的？"

律香川道："不是。"

他很了解万鹏王这种人，他知道在这种人面前最好莫要说谎。

因为无论多好的谎话都很难骗过这种人。万鹏王忽然大笑，道："很好，你这人很不简单，能支使你的人当然更不简单。"

他的笑声忽又停顿，盯着律香川，一字字道："是不是孙玉伯？"

律香川心里忽然对这人生出一种尊敬之意，将手里捧着的盘子捧了过去。

汉玉的盘子，上面有一只秦鼎。

律香川道："这就是老伯对帮主的敬意，望帮主笑纳。"

老伯在向别人有所需求的时候，通常都会先送一份厚礼表示友谊，他做事喜欢"先礼后兵"。

但这次却不是老伯的意思。礼物是律香川自己做主送来的，他希望这件事能和平解决。

万鹏王眼睛虽然瞧着盘子，其实却在沉思。

过了很久，他才缓缓说道："听说武老刀是从关外流浪到江南的，三十年前才在江南落户生根。"

他抬起头，盯着律香川，道："孙玉伯也是？对不对？"

律香川道："老伯和武老刀本是一个村子里的人，而且是同时出关的。"

他知道万鹏王已看透他的来意，所以对什么事都不必再隐瞒。

他已渐渐发觉，万鹏王比他想象中还要可怕得多。

万鹏王沉声道："他要你来替武老刀的儿子求情？"

律香川道："老伯知道帮主对这种小儿女的私情迟早定会一笑置之，何况，那位姑娘只不过是帮主买来的一个丫头。"

他说话不但婉转有礼，而且先将这件事的利害分析得很清楚。

为了一个丫头而开罪老伯，大动干戈，这么样岂非很不值得？

万鹏王却沉下了脸，道：“这不是儿女私情的问题，而是本帮的规矩，没有任何人能够破坏本帮的规矩！”

律香川的心沉了下来，他已看出这件事成功的希望不大。

但未到完全绝望前，他绝不会放弃努力。

他想将这件事的利害解释得更清楚些，试探着道：“老伯素来喜欢朋友，帮主若能与他结交，天下人都必然将额手称庆。”

万鹏王没有回答，霍然长身而起，道：“你跟我来！”

律香川猜不透万鹏王要他到哪里去，去那里干什么！

他虽然猜疑，却不恐惧。

万鹏王若要杀他，他现在也许就已死了。

走出厅，律香川才发现这古堡是多么雄伟巨大，城堡的颜色已因岁月的消磨变成青灰色，这使它看来更古老庄严。

四面看不到什么巡哨的堡丁，安静得令人觉得这地方毫无戒备。

但律香川当然不会有这种错觉，他懂得“包子的肉不在褶上”，这里若是三步一兵，五步一卒，他反而会看轻万鹏王。

像万鹏王这种人，当然绝不会将自己的实力轻易露出来。

老伯也一样。

“你最好能令敌人低估自己的力量，否则你就最好不要有敌人。”

只有乡下人才会将全部家产带在身上。

走廊阴暗而肃穆。

走廊的尽头有道门，并没有锁，就好像里面的屋子是空的。

但你若打开门，立刻就会发现自己错得多么厉害。

这屋子里藏着的古玩珍宝，就算是皇宫大内也未必能比得上。

连律香川这样的人，到这里都不免有眼花缭乱之感。

万鹏王背负着双手，带着他兜了个圈子，忽然道：“你随便选两样，就算我的回礼。”

律香川没有推辞拒绝，有些人说出的话，你拒绝非但无用，反而显得可笑。

他真的选了两件。

他选的是一块玉璧和一柄波斯刀。

两样东西的价值几乎和他送出的完全一样，这表示他不仅识货，而且对万鹏王很看得起，知道他不愿占人便宜。

万鹏王目中果然露出一丝赞许之色，道："无论什么时候，你若和孙玉伯闹翻了，就到我这里来，我绝不会埋没了你。"

律香川道："多谢。"

能被万鹏王这样的人看重，律香川也难免觉得有点得意。

但他的心却已冷透。

因为他知道这件事已完全绝望，万鹏王绝不会再给他商量的余地。

他们由另一条路走回，穿过外院，忽然听到马嘶声。

万鹏王脚步停了下来，问道："要不要看看我的马？"

律香川第一次看到他目中真正露出欢愉之色，立刻发觉他这次邀请并没有其他目的。

只不过好像主人将聪明的儿女叫出来和客人相见一样，要客人夸奖两句而已。

夸奖别人是律香川永远都很乐意做的事。

因为这种事做了，不但可以令别人开心，自己也有好处，只有呆子才会拒绝，虽然现在他还不知道好处在哪里。

马厩长而整齐，几乎每匹马都是百中选一的千里驹。

但所有马的价值，加起来也许还比不上最后那一匹。

这匹马单独占用了一间马厩，毛泽光亮柔滑，宛如缎子，虽然是一匹马，却带着无法形容的高贵和骄傲，仿佛不屑与人为伍。

律香川脱口赞道："好马，不知是不是大宛的汗血种？"

万鹏王笑道："你倒很识货。"

他笑得不但愉快，而且得意，这也是第一次在他脸上看到的，就算他在那珍宝堆积如山的屋子里，都没有出现过这种神色。

律香川心里忽然有了一线希望。

他已想出了一个也许可令万鹏王低头的法子来。

虽然他还不知道这个法子是否能行得通，但好歹至少要试一试。

无论这法子是否能行得通，结果反正都是一样。

第五章

危机四伏

深夜。

这条街本来是城里最热闹的一条，但现在每家店铺却已熄灯打烊，街道上几乎看不到一点灯光，也听不到一点声音。

武老刀陪着律香川走到这里来，却不懂是要来干什么。

他也不敢问。

律香川虽年轻，态度虽斯文有礼，但像武老刀这种老江湖却已看出这人有一种与年轻人特别不同的气质，虽没有老伯年轻时那么威棱四射，却更深沉难测，将来的成就一定不会在老伯之下。

武老刀有心结交这位年轻人，所以对他特别尊敬。

街上最大的酒楼叫八仙楼，现在每一扇窗子都是漆黑的，酒楼的伙计显然早已睡得很沉了。但律香川却直接就走过去推门。门居然没有上闩，楼上灯火通明，只不过每扇窗子都蒙着很厚的黑布，所以外面看不到一点灯火。

有四五十个人早已在这里等着，从衣着上看来，这些人的身份复杂，但却有一点相同之处。

每个人的神情都很沉静，一双手都粗糙而有力，他们彼此间显然互不相识，但看到律香川，每个人全都站了起来躬身行礼。

在这一刹那间，武老刀忽然发觉老伯的势力远比他想象中还可怕得多。

他完全没有看到律香川召集任何人，这些人却全都来了，他在城里住了二十多年，竟不知道这些人是从哪里来的。

最妙的是，这八仙楼的老板余百乐也在这群人之中，而且第一个走过来迎接律香川的就是他。

武老刀和他做了二十年的朋友，居然始终不知道他与老伯有来往，而且显然还是老伯的属下。

律香川对他的态度谦和又带着三分尊敬，就像是一个聪明的帝王对待他的功臣一样。

余百乐躬身道："除了有事到外地去了的之外，人多数已到，请吩咐！"

律香川微笑着点了点头，张开双手，道："各位请坐下，老伯令我问各位的好。"

大家一起躬身道："不敢……属下等一直惦记着老伯，不知他老人家身体可康健？"

律香川笑道："他老人家就像铁打的，各位都是他的老朋友，当然知道得比我还清楚，就算瘟神见了他，也要落荒而逃的！"

每个人都笑了。

刚才大家心里都有点紧张不安，但现在却已全都一扫而空。

律香川道："今天和各位初次见面，本该敬各位一杯，却又怕余老板心疼。"

大家又在笑。

等这阵笑过了，律香川神情忽然变得严肃起来，接着道："何况，不瞒各位，这次我到这里来，肩上的担子很重，这件事若是不能解决，我也没脸面再回去见老伯了。各位想想，我怎么有心情喝酒呢？"

有人接着道："律先生若有什么困难，无论是要人还是要钱，但请吩咐。"

律香川道："多谢。"

他等到每个人的注意力都集中之后，才接着道："现在我想要的只有一件事，就是十二飞鹏帮总舵的马厩！"

夜更深，武老刀和律香川走在归途。

现在他对这少年人的尊敬比去时更深。律香川刚才说话的时候，他一直在旁边留意着，他发觉这少年不但说话比老江湖更有技巧，而且还有种特殊的魅力，能够使每个初次见到他的人就想跟他亲近，而这种亲切并无损他的威严。

由于多年亲身的体验，武老刀深知一个人要得人敬爱是多么困难。

最令武老刀感动的是，律香川虽急于在人群中建立自己的声望和地位，却还是未忘记将老伯高置于他自己之上。

律香川忽然回头对他道："你是不是有些话要问我？"

武老刀迟疑着，他在这少年面前说话已更小心。

他终于问道："你真的要那匹马？"

律香川道："老伯一生中从未对人说过假话，我一心想追随他老人家，别的事我虽然万万赶不上，这一点至少还能做到。"

武老刀暗中伸出了大拇指，过了半晌，才试探着道："那飞鹏古堡戒备森严，要将一匹会叫会跳的马活生生偷出来，只怕很不容易——就算马夫中有老伯的朋友，也不容易。"

律香川道："非但不容易，而且简直几乎是完全不可能。"

他忽然笑了笑，道："但是，我并没有说要将那匹马活生生带出来。"

武老刀怔了怔，变色道："你是说，只要能带出来，不论死活？"

律香川道："我正是这意思。"

武老刀倒抽一口气，道："万鹏王将那匹马看得比什么都重要，若是杀了它，只怕后果很严重。"

律香川淡淡一笑道："就算不杀，后果也同样严重。"

武老刀道："为什么？"

律香川道："你知道，老伯从来不喜欢被人拒绝，这次更特别告诉我，只要能令万鹏王放出令郎的心上人，不必考虑一切后果。"

他拍了拍武老刀的肩，又道："老伯的朋友虽多，但从小和他一起长大的却没有几个，他就算牺牲一切，也不让你伤心失望。"

武老刀忽然觉得胸中一阵热意上涌，喉头似已被塞住，勉强控制自己，道："难道老伯为了我，竟不惜与十二飞鹏帮一战？"

律香川淡淡道："我们早已有所准备。"他说得虽轻松，但武老刀深知十二飞鹏帮的实力，当然知道这一战所要牺牲的代价如何惨烈。

想到一个老朋友竟会为自己如此牺牲，他热泪已忍不住夺眶而出。

律香川道："当然我也不希望这一战真的发生，所以才决心这么做。"

武老刀擦了擦鼻涕，想说话，却说不出。

律香川道："我只希望这一举可将万鹏王吓倒，乖乖地将那位姑娘送出来。"

武老刀点点头，心里充满了感激。

律香川道："我选择那匹马，只因为我们不到万不得已，绝不愿伤及人命，何况，我知道一个人发现自己最心爱之物被人毁灭时，除了愤怒悲哀外，还会觉得深深恐惧。"

武老刀嗫嚅着道："可是，万鹏王并不是个容易被吓倒的人！"

律香川淡淡一笑道："我早已说过，我们对一切可能发生的后果，都已早有准备。"

武老刀垂下头，心头的重压，使他连头都抬不起来。

他但愿自己永远未曾将这件事向老伯提起。

他当然永远不会知道，就算没有他这件事，这一战还是迟早难免发生的！

万鹏王每天早上起床的时候，脾气都特别暴躁，所以陪寝的少女早已找个机会溜了。

直到万鹏王吃完早点后，他的火气才会慢慢消下去。

万鹏王的食量也和他别的事同样惊人。他的早点通常是一大锅用冬菇和云腿熬得烂烂的老母鸡汤，另外还加上十个鸡蛋、二十个煎包子。别人看到他的早点时，往往都会吓一跳。

今天却不同。万鹏王掀开银锅的盖子时，面色突然发青。

锅子里没有冬菇，没有火腿，也没有鸡。

锅子里只有一个马头，一个血淋淋的马头。

万鹏王认得这只马头。

他的胃立刻痉挛收缩，有如被人重重打了一拳。

然后就是一股足以将万物燃烧的怒火，他几乎忍不住要从床上跳起来，冲出去，将第一个见到的人扼死，将马厩里所有的人全都扼死，将送这锅子来的人扼死十次！

但令人惊异的是，他居然忍耐了下来。为了芝麻绿豆大的一点小事，他往往会暴跳如雷，怒气冲天，甚至会杀人。

但遇着真正大事时，他反而能保持冷静。

他知道唯有怒火才能毁灭他自己。

他也知道这件事是谁干的。

老伯必将有所行动，早已在他预料之中，但却未想到行动如此迅速。

律香川正是要让他想不到。

“你要打击一个人，若不能把握第一个机会，就只有等到最后对方已松懈时，只不过要等那么长久简直是任何人都做不到的。”

这也是老伯的名言，律香川从未忘记。他把握了第一个机会，因为他知道对方这时还未及防备。

万鹏王吃早点的时候没有人敢留在屋子里。

他不喜欢别人看他狼吞虎咽。

幸好屋子里没有别人，所以他才静静思索。

老伯的确是个可怕的对手，比想象中还要可怕十倍，他手下像律香川那样的人还有多少？

万鹏王惶惶地盖好锅盖，走出去的时候脸上毫无表情，只吩咐了一句话：“把黛黛立刻送到武老刀的镖局去！”

孟星魂躺在客栈的木板床上，足足躺了七八个时辰。

他没有吃，没有动，也没有睡着。

现在，距离高老大给他的期限还有九十一天。

他对老伯这个人所知道的，还是和二十三天之前同样多。

他知道老伯是个很特别的人，别的事他几乎完全不知道。

武功是什么来历？是深是浅？

孟星魂不知道。

那天老伯连一根手指都没有动。那种非人能及的镇静，正是孟星魂觉得可怕的一点。

老伯属下究竟有些什么高手？有多少？

孟星魂不知道。

那天他所看到的，只是那全身都是暗器的斯文少年，和性烈如火但却义气干云的孙剑。

他知道这两个人都已离开了本地，但老伯身旁还有没有这样的人？

那灰衣人呢？

孟星魂自己也是杀人专家，但对这人那种冷酷、准确、迅速的杀人方法，还是觉得心惊。

他也曾查询过这人的行踪。

可是，连律香川都查不出的事，他又怎能查得到？

老伯平日的生活习惯是怎么样的？平时他到些什么地方去？

孟星魂不知道。

他甚至不知道老伯确实的住处在哪里，园中至少有十七栋单独的屋子，老伯住在哪一栋。何况，老伯的花园并不止这栋花园一处，菊花园旁是梅花园，还有牡丹、蔷薇、芍药、茶花，甚至还有竹园。

所有的花园密密相接，谁也不知道究竟占了多少地，只知道一个人就算走得很快，也难在一天内绕着这片地走一圈。

最令孟星魂困扰的是，自从那天后，他就没有再看到老伯一眼。

这人就好像是古代的帝王，永远不会踏出他的领土一步。

花园中是不是有埋伏？有多少埋伏？孟星魂不知道。

他也不敢随便踏入老伯的领土一步。

他不敢轻举妄动。

入夜后孟星魂才起床，出去吃他今天的第一顿饭，也是最后一顿饭。

他吃得很简单，因为一个人若是吃得太饱，思想难免迟钝。

近年来他这人已变成几种动物的混合体，变得像蝙蝠般昼伏夜出，猎犬般善于追踪，鸷鹰般的准，豺狼般的狠，兔子般善于奔跑，乌龟般忍辱负重，甚至还可以像骆驼和牛一般反刍。

他吃了一顿，往往就可以支持很久。

他选的这家店铺不太大，也不太小，生意既不好，也不坏。

他无论做什么事都采取中庸之道，因为他不想引人注目。

斜对面却是家灯火辉煌的酒楼。

这时正有一群人嬉笑着从酒楼中走出来，有男有女，大多数都是很年轻，很快乐，看他们的衣着，就知道必定是富家子弟。孟星魂很羡慕他们。

他和律香川不一样，虽然羡慕别人，却不妒忌，对自己悲惨的过去也不会觉得悲哀愤怒。

笑声很响，说话的声音也很响。

“今天谁喝的酒最多？”

“当然是小蝶。”

小蝶是个穿着大红披风的女孩子，因为这时已有个少年又冲入酒楼，提着个酒樽出来，送到小蝶面前。

“小蝶，你若还能够把这酒喝完，我才真的佩服。”

小蝶没有说话，也没有拒绝。

她只是微微笑着，拿过酒樽，立刻就一饮而尽。

酒量这么好的女孩子并不多，孟星魂也喝酒，未免多瞧了她两眼。

他忽然发觉这女孩子很特别。

她长得很美，美极了，美丽的女孩子通常都知道自己有多么美。

而且随时不会忘记提醒别人这一点。

这女孩子却不同。

她好像对自己是美是丑都完全不在乎。她在人群中，也在笑，可是她笑得也和别人完全不同。

虽然她身旁有那么多人，但却仿佛是完全孤独的，无论和多少人在一起，她都好像是一个人站在寒冷荒凉的旷野中。

一匹匹马牵过来，一辆辆马车驶过来。别的人都给接走了，只剩下小蝶和一个穿黑披风的少年。

这少年身材很高，很英俊，佩剑的剑柄从披风里露出来，闪闪发光。

这种少年正配做小蝶这种少女的护花使者。

还有辆最豪华的马车停在路旁。

黑披风少年道：“我们也上车吧！”

小蝶摇摇头。

黑披风少年道：“你还想喝酒？”

小蝶又摇摇头。

黑披风少年笑了，道：“那么你难道想在这里站一夜？”

小蝶还是摇头，轻轻道：“我只是想走走。”

黑披风少年道："好，我陪你走。"他们的关系显然很亲密，他还年轻，还不怕别人看不顺眼。

他对别人的看法也根本不在乎。

所以他拉起了她的手。

小蝶并没有要将他的手甩脱，还是轻轻道："我想一个人走走，好不好？"

黑披风少年怔了怔，终于慢慢放下她的手，道："明天我能不能再去找你？"

小蝶嫣然，道："只要你有空，我也有空，你为什么不能来找我？"

黑披风少年又笑了，道："明天我一早就去找你，你等我。"

小蝶没有再说话，一个人慢慢地往前走，她走得很慢，但还是慢慢地消失在黑暗中。夜很黑暗。

少女们都怕黑暗，而她还是一点也不在乎。

孟星魂当然不认得小蝶，也不认得这穿黑披风的少年。

这两人的事本和他全无关系，他甚至也觉得这两人是很配的一对。

但是也不知道为了什么，当他听见小蝶要一个人走，看到她将少年一个人丢在路旁的时候，他心里竟觉得舒服。

那黑披风少年还一直向她身影消失的方向痴痴地瞧着，很久很久以后，他忽然也冲进了这饭铺，大声道："老板，给我来壶酒，用大壶。"

孟星魂自己也有借酒消愁的时候，但也不知为了什么，他只觉得这少年很愚蠢，很可笑。

一壶酒很快就只剩下半壶。

这少年忽然向孟星魂招了招手，道："一个人喝酒真无聊，你陪我喝一杯好不好？我请你。"

孟星魂道："我不喝酒。"

少年道："从来不喝？"

孟星魂没有回答，但他不想说谎，可也不想说实话。

少年忽然长长叹了口气，苦笑道："你若遇见一个像那样的女孩子，你也会喝酒的。”

孟星魂道：“哦。”

少年道：“我说的女孩子，就是刚才穿红披风的那位，你看见了没有？”

孟星魂道：“刚才的女孩子很多。”

少年道：“但她却跟别人不同，有时她对我比火热，有时却又冷得像冰。”

他忽然重重一拍桌子，大声道：“遇见这么样一个女人，你说我该怎么办才好？”

孟星魂道：“办法多极了，最好就是另外去找一个。”

他不想再谈下去，却知道自己若不走，这谈话就不会结束。

他走了。走出门的时候，还听到这少年在喃喃自语，道：“小蝶小蝶，你对我究竟是好，还是不好？你为什么总是要我受不了……”

前面一片黑暗。

小蝶就是往这条路走的，孟星魂不知不觉也走了这条路。

虽然他自己绝不会承认，但在他心底深处，却仿佛有个秘密，希望能够再见到那女孩子一面。

他没有见到。

那女孩子就像幽灵般在黑暗中消失。

孟星魂回到他住的那家客栈时，夜已很深，小院中已寂无人声。

他屋子里当然也没有灯火。

他根本从不燃灯，因为只有在黑暗中，他才会觉得比较安全。

门是关着的，窗子也是关着的，他走的时候本已将门窗全部关好。

但是，他还没有走过去，就忽然停下脚步，仿佛一头久经训练的猎犬，突然闻出了前面的警讯。

他身形忽然掠起，掠到后院。

后面的窗子也是关着的，他轻轻弹了弹窗户，忽又掠起，到前面的屋檐上，行动之迅速轻灵，就像是鹰与蝙蝠。

就在这个时候，已有一条人影从前面的窗子里掠出。

这人的行动也很迅速矫健，身形一定，腾空而起，忽然觉得有个人紧贴在身后的半尺外。

他往上跃，这人也往上跃，他往下落，这人也跟着往下落。

一起一落间，他手心已冒出了冷汗。

只听身后这人淡淡道："你若不是小何，现在已经死了十次。"

这人长长吐出口气，他已听出这是孟星魂的声音。

他没有说话，用力推开孟星魂的房门，大步走了进去。

孟星魂站在门外，脸上毫无表情，直到屋子里灯光亮起，他才慢慢地走进去，坐下。

就坐在小何对面。

他看着小何，小何却故意不看他。

他认识小何已有二十年，却从来不了解这个人，而他也不想了解。

他们的感情本该和兄弟一样，但有时却偏偏像是个陌生人。

孟星魂、石群、叶翔、小何，都是孤儿，他们能够在战乱和饥荒中活下来，都靠高老大。

小何，是这四个人中年纪最小的一个，遇见高老大却最早，他一直认为高老大是他一个人的老大。

所以高老大收容另外三个人的时候，他不但妒忌，而且愤怒；不但排斥，而且挑拨。

他一直认为这三个人不但从高老大的手里夺去了他的食物，也夺去了他的爱，若没有这三个人，他就可以吃得饱些，过得舒服些。

从一开始的时候，他就用尽各种法子，想高老大要这三个人滚蛋。

那时他才六岁。

六岁时他就已经是个工于心计的人。

六岁时他想的法子就坏绝。

有一次，高老大叫他通知另外三个人，在西城外的长亭集合。他却告诉他们，集合的地方是在东城。

他们在东城外等候了两天，几乎快饿死，若不是高老大一直不死心，一直在找寻，他们就活不到现在了。

还有一次，他告诉巡城的捕快，说他们三个人是小偷，而且还故意将自己偷来的东西塞在他们的身上。

那时除了死囚外，无论罪多大的囚犯都已被放了出来，因为衙门里也没有那么多粮食养犯人。

那次他们三个人就几乎做了淹死鬼，若不是高老大也不知用什么法子让那捕快尝着点甜头，他们三个人也活不到现在。

那时捕快对付小偷的法子，不是捉将官里去，而是抛到河里去。

这样的事还有很多，事后高老大虽然骂了他几句，却并没有赶他走，因为她总觉得他年纪还小，做这种事的动机也是为了她，所以值得原谅。

高老大做事就只凭自己的好恶，对是非之间的观念都很模糊，因为根本没有人告诉过她，什么是错的，什么才是对的。

所以她总认为，只要能活下去，无论做什么都是对的。

二十年来，小何一直不断地在做这种事，用的手段当然愈来愈高明，愈来愈不露痕迹。

尤其是对孟星魂，他妒忌得更厉害，他们是同时开始练武的，但孟星魂的武功却比他强得多。

孟星魂在高老大心目中的地位，也是渐渐地重要。

这使他愈来愈无法忍受。

孟星魂凝视着小何漂亮的脸。

他漂亮得几乎已不像是个男人。

高老大常说，小何若是穿上女人的衣服，将头发披下来，大多数男人都必定会被他勾去魂魄。尤其是他的皮肤，简直比女人还细还白，很多人都不懂，像他这种在烈日风沙中长大的人，怎么会有这么白的皮肤。

但现在，他脸色却已因愤怒而变成铁青，一双幼细柔滑的手也在不停地发抖，显然是在努力控制自己，不让脾气发作。

孟星魂心里忽然升起一阵歉疚之意。

无论如何，小何毕竟是他多年的伙伴，年纪毕竟比他小两岁。

他本该将他当作是自己的兄弟。他勉强自己笑了笑，道："想不到你会来，你应该先通知我的。"

小何忽然冷笑一声，道："你以为屋子里的人是谁？"

孟星魂道："什么人都有可能，做我们这种事的人，对什么事都不能不特别小心。”

小何板着脸，道：“什么人都有可能？难道除了高老大之外，还有别人知道你在这里？”

孟星魂脸上的笑容忽然消失，道：“是高老大叫你来的？”

小何既不承认，也不否认。

这意思就说他已经承认了。

孟星魂面上虽也全无表情，但目中已掠过了一片阴影。

他出来做事的时候，高老大从未干涉过他的行动，甚至连问都不问。

她尽力要他知道，她对他是多么信任。但现在，却好像不同了。

孟星魂不得不想起那次高老大要他在暗中跟踪叶翔的情形。

那次她要他去，就表示她对叶翔已不再信任，认为叶翔已无力再圆满完成任务。

小何偷偷观察着他的表情，眼睛里忽然有了光。

他似乎已猜出孟星魂心里在想什么，故意笑了笑，淡淡道：“你当然知道高老大并不是不信任你，只不过要我来告诉你几句话。”

他笑得很神秘，很暧昧，任何人都可看出他笑得有点不怀好意，有点幸灾乐祸。他正是故意要孟星魂有这种感觉。

孟星魂沉默了很久，才缓缓道：“她要你告诉我什么？”

小何压低声音，道：“你知不知道孙玉伯手下最得力的两个人都出去办事了？”

孟星魂道：“你说的是孙剑和律香川？”

小何点点头，带着笑道：“原来你已经知道，但高老大却怕你不知道。”

“怕你不知道”，这意思就是对你已有点不信任。

孟星魂当然不会听不出他的言下之意。小何也知道他已听出，接着道：“这两个人一走，孙玉伯无异于失了两条手臂，一个人若是失去了左右手，还有什么可怕的。”

他跷起腿，悠然道：“所以现在正是你下手最好的时候，你既然知道，为什么还不下手？”

孟星魂望着他高高跷起的两条腿，怒气忽然上涌，道：“这件事是你做，还是我做？”

小何道：“当然是你。”

孟星魂道：“是我做，就得由我做主。”

小何道：“当然是你做主，我只不过问问而已，没有别的意思。”

他忽然又笑了笑，道：“高老大常说你最冷静，想不到你这么容易发脾气。”

孟星魂觉得自己好像被抽了一鞭子。他的确不该动怒的，怒气对他这种人来说，简直比毒药还可怕。

他甚至可以感觉到自己的指尖渐渐变冷。

小何看着他，皱眉道：“你怎么样了？是不是不舒服？”

孟星魂又沉默了很久，才缓缓地说道：“我累了。”

小何沉吟着，显得很关心，道：“有句话我不知该不该说。”

孟星魂道：“你说。”

小何显得更关心，忽又摇了摇头，道：“也许我还是不说的好。”

孟星魂道：“你说。”

小何这才叹口气，道：“这两年来你的确累了，应该好好休息一阵子，这件事你若已觉得不想去做，我可以替你去。”

孟星魂缓缓站起来，瞪视着他，缓缓道：“你知道孙玉伯是个怎么样的人吗？”

小何不回答，忽又冷笑，反问道：“你以为我杀不了他？”

孟星魂道：“也许我也杀不了他。”

小何冷笑道：“你杀不了的人，难道我就更杀不了？”他脸色又发青，接着道：“就算你武功比我强，但杀人并不是全靠武功的，主要的是看你下不下得了手，若论武功，叶翔难道比你差？”

孟星魂沉默了很久，缓缓地坐下，道：“你若一定要替我去，就去吧！”

他忽然觉得很疲倦，疲倦得不想争辩，疲倦得什么事都不想做。

可是有句话他却还是不能不说。

他慢慢地接着道：“但你去之前，最好先了解做这件事有多么危险。”

小何立刻道：“我了解得很，我不怕。”

危险的确吓不倒他。他等待这机会已有很久，无论什么事都不能要他放弃。

只要他能够做成这件事，就能够取代孟星魂的地位。

孟星魂当然明白这一点，但他却完全不在乎。

他只想躺下来好好地睡一觉。

他睡不着，直到天亮都睡不着。

曙色已临，他站起来，走出去，晨雾浓得像老人嘴里喷出的烟。

他走出市镇，晨雾还未消失。

“走到什么时候？走到哪里去？”

他不知道，甚至根本没有去想。

他想得太多、太乱，现在已变成了一片空白。

微风中传来泉水流动的声音，他不知不觉走过去，在流水旁坐下来。

他喜欢听流水的声音，喜欢流水。

流水也会干枯，却永远不会停下来，仿佛永远不知道厌倦。它那种活泼的生机永恒不变。

“世上也许只有人才会觉得厌倦吧！”孟星魂长长叹了口气，几乎忍不住要将自己的生命投入，与流水融为一体。

但就在这时，他看到一个人。

第六章

水边丽人

雾已渐渐淡了。

他忽然发觉有个人就在他身旁不远处，他一直没有发现这人存在，因为这人一直静静地坐在那里，安静得就像是河岸边的泥土。

现在这人却向他走了过来。

她穿着一件鲜红色的斗篷，但脸色却苍白得可怕。

她眼睛纵然在薄雾中看来还是那么明亮。

她走过来，凝视着他。

鲜红的斗篷，如流水般波动，漆黑的头发在风中飞散，明亮的眼睛中，带着种说不出的怜悯和同情。

她怜悯世人的愚昧，同情世人的无知。因为她不是人，是神。

她美丽得仿佛是自河水中升起的洛神。孟星魂的咽喉忽然堵塞，也不知道为了什么，他看到她，立刻就觉得有股新鲜的热血自胸膛中涌起，涌上咽喉。

他认得她，知道她不是神，也许她比神更美丽、更神秘，但却的的确确是个人。

她就是小蝶。

小蝶还在凝视着他，忽然道："你想死？"

这是他第一次听到她对他说话，她的声音比春天的流水更动听。

他也想说话，却说不出。

小蝶道："你想死，我并不劝你，我只问你一句话。"

孟星魂点点头。

小蝶的目光忽然移向远方，远方烟雾朦胧，弥漫了她的眼睛。

她轻轻问道："我只问你，你活过没有？"

孟星魂没有回答，他无法回答。

“我活过没有？我这样能算得是活着么？”

孟星魂扭转头，他生怕眼泪会流下。

小蝶的声音似乎已在远方，道：“一个人连活都没有活过，就想死，岂非太愚蠢了些？”

孟星魂几乎想问：“你活过吗？”

他没有问，不必问。

她如此年轻，如此美丽，她当然活过。

可是她为什么偏偏也要到这凄凉的河水旁来？她是宁可忍受寂寞？还是来独自享受寂寞？

寂寞本也有一种清淡的乐趣。

过了很久，孟星魂终于慢慢地回过头，却已看不到她了。

她像雾一般地来，又像雾一般地消失。他与她相见总是如此短促。

但也不知为了什么，在他心底深处，总觉得仿佛已认得她很久，仿佛在还没有生下来之前，就已经认得她了。而她也早就在等着他。

他活着，仿佛就是为了要等着看见她一面。

“但这是不是最后一面呢？”

孟星魂不知道。

没有人知道她从哪里来，也没有人知道她往哪里去。

她既不可捉摸，也无处追寻。

孟星魂凝注着远方，心里忽然涌起一阵说不出的黯然销魂之意。

远方的雾更淡了。

又等了几天，还是没有小何的消息。

这个人就像是忽然间从世上消失。

菊花园里没有丝毫动静。

小蝶呢？

她好像根本就没有到这世界上来过。

孟星魂决定先回快活林去。

快活林中的人，永远都是快活的。

高老大脸上永远都带着甜蜜动人的笑。看到孟星魂回来的时候，她的笑容更开朗。

但是她始终没有仔细看过孟星魂一眼，她显然也和孟星魂一样。

虽然决心要忘记那天在木屋中发生的事，却很难真的忘记。

孟星魂垂着头。

高老大道：“你回来了？”

孟星魂当然回来了，却摇摇头。

他知道高老大的意思并不是真的问他是否回来了，而是问他是否已完成任务，因为他以前在任务还未完成时绝不回来。

高老大皱了皱眉，道：“为什么？”

孟星魂又沉默了很久，忽然道：“小何呢？”

高老大道：“小何？谁知道他疯到哪里去了，这一阵他没事做。”

她笑了笑，接着道：“咱们都一样，没事做的时候，就找不着人了。”

孟星魂的心往下沉，又过了很久，才缓缓道：“我见过他。”

高老大道：“你见过他？在哪里？”

孟星魂道：“他去找过我。”

高老大动容道：“他为什么去找你？”

孟星魂闭上了嘴！

高老大道：“你知道他到哪里去了？”

孟星魂还是闭着嘴。

高老大脸色却已变了，变得很难看。

她也很了解小何，也知道他如何急于表现自己。

孟星魂转过头来，想走出去，他已不必再问。小何无意中知道他的去处，故意去找他，为的是要打击他的信心，好替他去执行那件任务。

这种事小何已做过很多次，但这一次却做错了，错得可怕。

他没有想到老伯是个多么危险的人物。高老大忽然道：“等等走……我问你，他是不是想替你去找孙玉伯呢？”

孟星魂终于点点头。

高老大道：“你就让他去了？”

孟星魂道：“他已经去了。”

高老大面上现出怒容，道：“你明知道孙玉伯是个怎么样的人，你去最多也不过只有六七成把握，他去简直是送死，你为什么让他去？”

孟星魂猝然转过身，目中也有了怒意，道：“他怎么知道我住在那里的？”

高老大的嘴好像忽然被塞住。

孟星魂执行的一向是最秘密的任务，除了她之外，没有别人知道。

小何怎么会知道的？

过了很久，高老大才叹了一口气，道：“我不是怪你，只不过是为他担心而已，你们无论谁有了危险，我都同样担心。”

孟星魂又垂下头。

他在别人面前从不低头，但是她却不同。

他忘不了她对他们的恩情。

高老大道：“你想到哪里去？”

孟星魂道：“去该去的地方！”

高老大摇摇头道：“现在你已经不能去了。”

孟星魂道：“不能去？”

高老大道：“小何若已去找过孙玉伯，不论他是死是活，孙玉伯必然已经有了警觉，你再去就太危险了。”

孟星魂笑了笑，道：“我去的地方，哪次不危险？”

高老大道：“但这次却不同。”

孟星魂道：“没有什么不同，只要是我该做的事，我就要做好它。”

只要一开始，就绝不半途放手。

高老大沉吟着道：“就算你要去，也得到这件事情冷下来再说。”

孟星魂道：“那时小何也已冷了。”

高老大又叹了口气，道：“现在他也已经冷了。”

孟星魂道：“我至少应该去瞧瞧。”

高老大道：“不行，你不能冒险，我不能为了任何人让你去冒险。”

孟星魂目中忽然露出一种很奇怪的表情，道：“连他也不行？”

高老大断然道：“他也不行，更不行，我不能为了一个死人将活人牺牲。”

孟星魂道："但他是我们的兄弟。"

高老大道："兄弟是一回事，任务是一回事，我们若不能将这两样事分开，明天死的就是我们！"

她美丽的眼睛变得很深沉，慢慢地接着道："我们若死了，连收尸的人都没有。"

孟星魂不再说话。

他发现，高老大渐渐在变，变得更无情，更冷酷。

自从叶翔那次事件之后，他已有了这种感觉。

"但她为什么不怕小何泄露秘密？"

有人在敲门。这是高老大的私门，若没有重要的事，谁也不敢来敲门。

高老大打开门上的小窗，道："什么事？"

门外应声道："屠二爷想请你去喝酒。"

高老大道："屠城？"

门外人道："是。"

高老大慢慢地点了点头，道："好，我知道了，我就去。"

她忽然转身，凝视着孟星魂，道："你知不知道屠城是什么人？"

孟星魂摇摇头。

高老大虽然瞧着他，目中却带着沉思的表情，道："屠城表面虽是个大商人，其实却是十二飞鹏帮的坛主，也是万鹏王手下的第一号打手。"

孟星魂道："他就是屠大鹏？"

高老大道："他就是。"

她忽然又问道："你知不知道最近孙玉伯曾经派律香川去找过万鹏王？"

孟星魂道："我知道律香川走了，却不知道他去找谁，也没有打听。"

和他任务没有直接关系的事，他从不打听。

高老大道："律香川是孙玉伯最看重的人，若不是为了重要的事，他绝不会轻易派他出去。"

孟星魂点点头。他也感觉到律香川的确不可轻视。

高老大面上忽然露出了笑容，道：“孙玉伯和万鹏王有了争执，我们的事就有希望，屠城这次离开大鹏坛，说不定就是冲着孙玉伯来的。”

她拉开门，匆匆走了出去，道：“我再去打听打听，你最好在这里等着。”

她的消息永远最灵通，因为她打听消息的法子的确很有效。

孟星魂却没有在这里等着。他也有事要打听。

第七章

步步杀机

叶翔躺在树下的草地上。

草已枯黄，他尽量放松了四肢。

以前他从来不敢放松自己，一时一刻也不敢放松，现在却不同。

现在他没有什么好担心的。

“失败也有失败的乐趣，至少成功的人永远享受不到。”

叶翔苦笑，这时草地上忽然有了脚步声，很轻很轻的脚步声，就像是猫。

叶翔没有坐起来，也没有抬头去看，他已知道来的是谁了。

除了孟星魂外，没有人的脚步能走得这么轻。

直到脚步声走得很近，他才问道：“你什么时候回来的？”

孟星魂道：“刚才。”

叶翔笑了笑，道：“一回来就来找我？到底是我们交情不同。”

孟星魂心里涌起一阵羞惭之感。这两年来，这里的人都渐渐跟叶翔疏远，现在他忽然发觉连自己也不例外。

叶翔拍了拍身旁的草地，道：“坐下来，先喝杯酒再告诉我是为了什么事找我。”

他似已知道，若没有事，孟星魂绝不会找他。

孟星魂坐下来，接过他手里的酒，他决定只要这件事能办成，只要他还活着回来，他一定要好好地陪着叶翔喝几天酒。

这些日子来他已日渐与叶翔疏远，并不是势利，更不是现实，他不愿见到叶翔，因为他怕从叶翔身上看到他自己的结局。

叶翔道：“好，现在告诉我，究竟什么事？”

孟星魂沉吟着，缓缓道：“你常说，世上有两种人：一种是杀人的，一种是被杀的。”

叶翔道：“每个人将人分类的法子都不同，我这种分类的法子并不正确。”

孟星魂道：“你将世人如此分类，因为你是杀人的。”

叶翔叹了口气，苦笑道：“大多数杀人的，常常也就是被杀的。”

孟星魂道：“有没有例外？”

叶翔道：“你是不是问，有没有人能永远杀人，而不被杀？”

孟星魂道：“是。”

叶翔道：“这种人很少，简直太少了。”

孟星魂道：“你知道有几个？”

叶翔笑得更苦涩，道：“我就是其中一个，因为现在别人已不屑杀我。”

孟星魂道：“除了你还有谁？”

叶翔目光闪动，道：“你是不是看到了一个很可怕的杀人者？”

孟星魂慢慢地点了点头。

叶翔忽然坐起来，盯着他，道：“他是个怎么样的人？”

孟星魂思索着，道：“他是个很普通的人，不高也不矮，不胖也不瘦。”

叶翔道：“你没有看到他的脸？”

孟星魂道：“没有。”

叶翔道：“他杀人的时候，是不是穿着一身暗灰色的衣服？”

孟星魂动容道：“你知道他？”

叶翔不回答，又问道：“他杀人后，是不是立刻将死者的血，抹在自己脸上？”

孟星魂一把拉住他的手，道：“不错，就是这个人！”

叶翔的脸似已僵硬，缓缓道：“不知道，没有人知道他是谁，只不过……下次你再见到他时，最好走得远些，愈远愈好。”

孟星魂道：“为什么？”

叶翔道：“干这一行的行头并非只有我们两个，也许比你想象中还要多。”

孟星魂道：“哦！”

叶翔道："这本就是一行很古怪的职业，聂政、荆轲、专诸，就都是我们的同行。"

他忽又笑了笑，道："这几人虽然很有名，但却不能算作这一行的好手。"

孟星魂点点头，道："你说过，干我们这一行的就不能有名，有名就不是好手。"

叶翔道："不错，要干这一行就得牺牲很多事。声名、家庭、地位、子女、朋友，一样都不能有。"

他又叹了口气，苦笑道："所以，我想绝没有人是自己愿意干这一行的，除非是疯子。"

孟星魂黯然叹道："就算不是疯子，慢慢也会变疯的。"

叶翔道："但这一行中也有人是天生的疯子，只有这种人才是真正的好手，因为只有他们杀人时才能完全不动心，所以他们永远不会觉得厌倦，手也永远不会软。"

他凝注着手里的酒樽，缓缓道："你刚才说的那人就是其中一个，也是最疯的一个。"

孟星魂动容道："所以，他也是其中最好的一个？"

叶翔道："一点也不错，据我所知，这世上绝没有第二个人能比得上他。"

他抬起头，凝注着孟星魂道："你也比不上他，也许你比他冷静，比他聪明，甚至比他快，但你也不行，因为你不疯！"

孟星魂沉默了很久，道："你看过他杀人？"

叶翔点点头，道："除了亲眼见到之外，没有人能形容他杀人的那种方法，他杀人时好像没有将对方看成一个人。"

孟星魂道："那时他自己也不是一个人了。"

叶翔道："据说这人退休很久，你是在哪里见到他的？"

孟星魂道："孙玉伯的花园里。"

叶翔道："他杀的是谁？"

孟星魂道："黄山三友。"

叶翔道："为什么原因？"

孟星魂道："因为他们得罪了孙玉伯。"

叶翔目中又现出沉思的表情道："我早就想到他背后必定还有个人主使，却想不到是孙玉伯。"

他忽然反握住孟星魂的手道："赶快将孙玉伯这个人忘记，最好忘得干干净净。"

孟星魂道："我忘不了。"

叶翔道："忘不了也要忘，否则你就得死，而且死得很快，因为你就算能杀了孙玉伯，这人也一定会杀了你！"

孟星魂默然。

叶翔道："别人当然不会知道是谁杀孙玉伯，更找不到你，但是他一定能。"

孟星魂忽然盯着他，道："他也知道世上有你这么样一个人？"

叶翔面上露出痛苦之色，过了很久，终于点点头，道："他知道，他第一眼看到我时，就已知道我这人是干什么的。"

别人也许不会了解这种情况，孟星魂却了解。

他们都是人，非但长得不比别人特别，甚至看来还更平凡，因为他们都懂得尽力不去引人注意。

但他们之间却都有些与常人不同的特异气质，别人也许感觉不到，但他们自己这圈子却往往一眼就能看出来。

叶翔道："他既然能看出我，当然也一定能看得出你。"

孟星魂道："我没有让他看到，只不过……"

叶翔道："不过怎样？"

孟星魂缓缓道："不过当时我确实在场，而他也不可能不知道有我这个人。"

叶翔道："他既然知道你这么样一个人，孙玉伯死了后，他想必就能追到这里来，你最好将孙玉伯这个人赶快忘记。"

孟星魂道："我忘不了。"

这句话他说了两次，两次都说得同样坚定。

叶翔道："你不信他能杀得死你？"

孟星魂拒绝回答。

叶翔道："就算他杀不死你，但你若知道有这么样一个人，随时随地都在暗中窥伺着你，等着你，你还能活得下去？"

孟星魂又沉默了很久，忽然道："所以我只有先杀了他！"

叶翔动容道："杀他？你想杀他？"

孟星魂道："他也是个人。"

叶翔道："你连他是个怎么样的人都不知道，怎能杀得了他？"

孟星魂凝注着他，缓缓道："我虽然不知道，但你却一定知道。"

叶翔面上又露出痛苦之色，慢慢地躺了下去，道："我不知道。"

孟星魂凝注着他，慢慢地站起来，慢慢地转身走开，他已发觉这人和叶翔之间，必定有种极神秘而特别的关系。

但是他不愿勉强叶翔说出来。

他从不勉强任何人，他深知被人勉强去做一件事的痛苦。

叶翔忽然道："等一等。"

孟星魂在等。

等了很久，叶翔才一字字道："他杀人，因为他不喜欢人，但是他喜欢血。"

孟星魂道："血？"

叶翔道："他不是喜欢吃鱼，是喜欢养鱼，养鱼的人并不多。"

孟星魂还想再问，但叶翔已又开始喝酒，用酒瓶塞住了自己的嘴。

夕阳从树梢照下来，照着他的脸。他的脸已因痛苦而扭曲。

孟星魂瞧着他，满心感激。

因为他知道从来没有任何人能令叶翔说出他不愿说的话。

只有他能。

他是他的朋友，也是他的兄弟，这种深厚的感情永远没有任何事能代替。

孟星魂回到木屋的时候，高老大已经在等着。

她神情显得很兴奋，但看到他时，脸却沉了下来，道："你没有在这里等我。"

孟星魂道："我也没有走。"

高老大道："你跟叶翔好像有很多话好说。"

孟星魂没有回答，他本来想说："我们本来也有很多话好说，但是近来你已忙得没空跟我们说话了。"

他当然不会将心里想的说出来，近年来他已学会将心事埋藏在心底。

高老大慢慢地转过身，忽又道："叶翔有没有在你面前说起过我？"

孟星魂道："没有，从来没有。"

又过了很久，高老大才转回头，面上又恢复了笑容，道："我已知道孙玉伯为什么要派律香川去找万鹏王了。"

孟星魂道："哦？"

高老大道："孙玉伯有个老朋友，叫武老刀，武老刀的儿子爱上了万鹏王的家姬，万鹏王不答应，所以孙玉伯叫律香川去要人。"

她虽是个女人，但叙述一件事却简单而扼要。

孟星魂道："结果呢？"

高老大道："万鹏王已经将那小姑娘送给武老刀，而且还送了笔很厚的嫁妆。"

孟星魂道："那么这件事岂非已结束？"

高老大道："没有结束，刚开始。"她笑了笑，道："你想，万鹏王会是这么听话的人？"孟星魂没有回答，他不了解万鹏王。他从不对自己不了解的事表示任何意见。

高老大道："照我看，万鹏王这么做，只是要孙玉伯不再对他有警戒之心，然后他才好向孙玉伯下手！"

她眼波流动，又笑道："只要他下手，就必定是重重的一击！"

孟星魂道："所以他要将屠大鹏调回去？"

高老大道："据我所知，除了屠大鹏外，金鹏、怒鹏这两坛的坛主也已经离开了自己分坛的所在地，走的正是往十二飞鹏堡去的那条路。"

孟星魂道："你认为他们立刻就要对孙玉伯有所行动？"

高老大道："不错，只要他们一出手，你的机会就来了！"

孟星魂沉思着，道："你是不是要我在暗中跟踪屠大鹏？"

高老大点头道："不错，你了解他们的行动后才能把握机会，但是你绝不能让别人先下手，你一定要自己亲手杀死孙玉伯。"

孟星魂道："我明白。"

他的确明白。

只有他亲手杀死孙玉伯，高老大才能获得杀人的报酬，才能维持她在这方面信用卓著的声誉。

孟星魂道："屠城是几个人来的？"

高老大道："只有三个人，由此可见他们这次的行踪很秘密。"

孟星魂道："另外还有两个人是谁？"

高老大道："一个是屠城的贴身随从，叫王二呆，但我却知道他非但一点也不呆，而且还是个极厉害的角色，呆相只不过是装给别人看的。"

孟星魂点点头，他知道高老大看人绝不会看错。高老大道："还有个叫夜猫子，这人是个下五门的小贼，武功虽不值得重视，却是个用熏香蒙汗药的好手，屠城这次带着他同来，显然有特别的用处。"

孟星魂道："他们什么时候走？"

高老大笑了笑，道："屠城这次行色虽匆忙，但还是舍不得立刻走，现在金钏儿正在陪他，我想，金钏儿能留他一晚上。"

孟星魂在思索。

高老大道："你在想什么？"

孟星魂淡淡道："我在想，能被金钏儿留住一晚的人，必定做不了十二飞鹏帮的第一号打手。"

高老大又笑了，道："近来你好像已学会了很多，而且学得很快。"

孟星魂道："我非学不可。"

武老刀已有些醉了，但心里还是充满了感激。

这天是他儿子成亲的日子。

他盼望老伯能来喝他的喜酒，但却也知道老伯当然不会来的。

他虽然有些失望，却并不埋怨。

无论如何，他总算将律香川留了下来，一直留到散席后才走的。

现在，客人都已散尽，下人们都还在后面厨房喝酒，他的佳儿佳媳当然早已入了洞房。

现在，大厅里只剩下他一个人，望着那双已将燃尽的红烛，他心里虽然觉得很欣慰，却又有种曲终人散的寂寞。

他知道自己已老了。

“儿子都已娶妻成亲，我还能不老么？”

武老刀不免有些唏嘘感慨，决定过了今年之后，就将镖局歇了，找个安静的地方，平淡地度过晚年。

就在这时，他听到了脚步声。

一个人步履蹒跚，从院子里走入了大厅。

这个人不但醉态可掬，而且呆头呆脑、土里土气。武老刀的朋友中，绝对没有一个这么呆、这么土的人。

武老刀并不认得他，他却在向武老刀招手打招呼。

“这人比我还醉得凶。”

武老刀皱皱眉，心里并没有怪他。

喝酒的人总是同情喝酒的人。

武老刀道：“你是不是想找老宋他们？他们都在外面厨房里喝酒。”

老宋是大师傅，他以为这人一定是佣人们的朋友。

这人却摇了摇头，打着酒嗝儿，道：“我……呃，我就是找你。”

武老刀奇怪，道：“找我？有何贵干？”

这人想说话，一句话未说出，人已倒了下去，人虽倒了下去，还在向武老刀招手。

武老刀道：“你有话跟我说？”

这人不停地点头。

武老刀只好走过去，俯下半个身子，道：“你说吧！”

这人喘息着，道：“我要……”

他声音嘶哑，又在喘息，武老刀根本听不清他在说什么，只有俯身更低，将耳朵凑过去，道：“你要干什么？”

这人喘息得更厉害，道：“我要杀了你！”

说到“要”字，武老刀已经发觉不对了，“要”是开口音，这醉人嘴里却没有一点酒气。

但他发觉得已太迟了。

这人手里忽然多了根绞索，说到“杀”字，绞索已套上了武老刀的咽喉，他双手一紧，尖刃般的绞索已进了武老刀的皮肉和喉头。

武老刀呼吸立刻停顿，整个人就像是条跃出水面的鱼，弓着身子弹到半空。

然后身子慢慢挺直，“啪”的一声，死鱼般落了下来。

这人站起来，望着他的尸体，满脸傻笑，道：“我说要杀你就杀你，我从来不骗人的。”

小武和黛黛互相拥抱，他们抱得这么紧，就好像是第一次。

他们心里真有这种感觉，都觉得从来没有如此兴奋，如此激动过。

但他们并不急于发泄，这一刻他们要留待慢慢享受。

他们以后的日子还长，长得一想起心里就充满了温暖和甜蜜。

小武柔声道：“你永远是我的了，是不是？”

黛黛的声音更温柔更甜蜜，道：“我一直都是你的！”

小武闭起眼睛，准备全心全意来享受这生命中最大的欢愉。

他呼吸中充满了她的甜香。

愈来愈香，香得令人昏昏欲睡。

小武已发觉不对了，想跳起来，但四肢忽然发软，所有的欲望和力量都在一瞬间奇迹般消失！

他拼命想睁开眼睛，却已看不清。

蒙蒙眬眬中，他仿佛看到一张脸，一张恶鬼般的脸，带着恶鬼般的狞笑，狞笑着道：“你的新娘子现在是我的了！”

小武呆呆地看着他，甚至连怒气都已不知发作。

然后他就什么都看不见了。

孟星魂伏在屋脊上，望着对面的镖局。

他看到王二呆痴痴呆呆，步履蹒跚地走进去。

过了片刻，他又看到夜猫子往旁边掠入墙。

两人进去时，虽是有先后，但却几乎是同时出来。

出来时，王二呆还是那副痴痴呆呆的样子，肩上却多了个死人。

夜猫子也用力扛着个包袱，包袱实在太大，他显得很吃力。

就在这时，街角处突然有辆马车飞驰而来，驶近镖局时才慢下来。

车门打开，王二呆和夜猫子立刻将身上扛着的东西抛入，自己的人也跟着飞身而上。

车马绝尘而去。

所有的事，只不过发生在片刻之间。

镖局里全没有丝毫动静，就好像什么事都没有发生过似的。

但孟星魂却知道，他们已给孙玉伯重重的一击！

他也知道孙玉伯的报复绝不会轻的！

老伯听完了律香川的叙述，脸色忽然变得很严肃沉重。

律香川不懂。

这一次任务他不但圆满完成，而且顺利得出乎意料。

以他平时的经验，老伯本该对他大为夸赞。

“夸赞别人是种很奇怪的经验，你夸赞别人愈多，就会发现自己受惠也愈多，世上几乎没有什么别的事能比这种经验更有趣。”

这也是老伯的名言。

律香川不懂老伯这次怎会忘了自己所说过的话。

他当然不敢问。

他看到老伯的手在用力捏着衣襟上的铜扣，就像是想用力捏死一只臭虫。

老伯手指用力去捏一样东西的时候，就表示他在沉思，而且愤怒，已准备全力去对付一个人。

他现在想对付的是谁？

过了很久，老伯忽然站起来，对站在门外的守卫道：“告诉鸽组的人，所有的人全都放弃轮休，一齐出动去找孙剑，无论他在干什么，都叫他立刻快马赶回来，片刻不得耽误。”

一人应声道：“是。”

老伯又道：“去将鹰组的人立刻带来。”

鸽组负责传讯，鹰组负责守卫，除了老伯和律香川外，绝没有第三个人知道他们是些什么人，平时在什么地方。

不到必要时，老伯也绝不动用这两组的人，若是动用了这两组的人，就表示事情恐已十分严重了。

但现在有什么严重的事呢?

律香川又想起了老伯的一句名言:“尽量想法子让敌人低估你,但却绝不要低估了你的敌人。”

“我难道低估了万鹏王?”

这件事实在做得太顺利,顺利得有点不像是真的。

万鹏王奋斗数十年,出生入死数百次,好不容易挣扎到今日的地位,这次怎会如此轻易接受失败?

想到这一点,律香川立刻觉得身上的衣服已被冷汗湿透。

老伯正在凝视着他,看到他面上的表情,才沉声道:“你懂了么?”

律香川点点头,冷汗随着滴落。

老伯道:“你懂了就好。”

他没有再说一句责备的话,因为他知道律香川这种人用不着别人责备,下次也绝不会犯同样错误。

律香川不但感激,而且羞惭,忽然站起来,哽声道:“我应该再去看武老刀,现在他说不定已有危险。”

老伯道:“不必去。”

律香川忍不住问道:“为什么?”

老伯目中露出一丝哀痛之意,缓缓道:“他现在必定已经死了!”

律香川心头一寒,道:“也许……”

老伯打断了他的话,道:“没有也许,像万鹏王那种人,绝不会令人感觉到危险,等那人感觉到危险的时候,必定已经活不成了。”

律香川慢慢地坐下,心也沉了下去。

他不知道如何才能弥补这次的错误,要怎么样才能赎罪。

这时已有个人踉跄自门外跌了进来。

这人不但很年轻,而且很漂亮,只可惜现在鼻上的软骨已被打歪,眼角也被打裂,左手用一条布带吊在脖子上。

他一跌下去,就不再爬起,无论谁都可看出他十足吃了不少苦头。

老伯近来已经渐渐不喜欢再用暴力,但这次看来却又破了例,显见这人必定犯了个不可宽恕的错误。

律香川忍不住问道:“这人是谁?”

老伯道："不知道！"

律香川又奇怪，这人看来并不像是条硬汉，但吃了这么多苦头后居然还能咬紧牙关忍住。

"也许他是怕说出秘密后会吃更大的苦头，他幕后必定有个更可怕的人物。"

老伯似已看出律香川在想什么，又道："他不说，并不是怕别的，而是我们一对他用刑，他立刻会无缘无故晕过去。"

要突然晕过去并不是件容易的事，他一定有个奇妙的法子，这种法子不但让他少吃了不少苦，而且使他的嘴变稳。

教他这种法子的，当然更不简单。

律香川沉吟着，道："他犯了什么错误？"

老伯道："他想杀我。"

律香川这才真的吃了一惊。

无论谁想来杀老伯，若不是疯了，就一定是真的胆大包天。

老伯道："你不妨再问问，看看是不是能问得出什么。"

律香川慢慢地站起来，从老伯的酒中选了瓶最烈的酒，捏开这人的下巴，将一瓶酒全都灌了下去！

他知道酒往往能令人说真话。

然后他看到这人苍白的脸渐渐发红，眼睛里也出现了红丝。

无论酒量多好的人，在片刻间被灌入这瓶酒，想不醉都不行。

于是律香川问道："你贵姓？"

这人道："我姓何。"

律香川道："大名？"

这人道："我姓何。"

律香川道："是谁叫你来的？"

这人道："我姓何。"

无论律香川问什么，这人的回答都只有三个字："我姓何！"

除了这三个字，他脑中似已不再记得别的了。

老伯忽然道："这人必定受过极严格的训练，能如此训练下属的人并不多。"

律香川目光闪动，道："你认为那人是……"

老伯点点头。

律香川并没有说出那个人的名字，老伯也没有说，因为两个人都知道对方心里想着的是谁。

律香川压低声音道："是不是送他回去？"

老伯摇摇头，沉声道："放他回去。"

"送他回去"和"放他回去"的意思完全不同。若是送他回去，那么他必定已是个死人，但若放他回去，就是活生生地放他回去。

律香川沉思着，忽然明白了老伯的意思。

他心里不禁又涌起一阵钦佩之意。

老伯做事的方法虽然特别，但却往往最有效。

孟星魂一向很少在老伯的菊花园外逡巡，他不愿打草惊蛇。

但今天晚上却不同。

他已想到老伯必定要有所行动。

菊花园斜对面有片浓密的树林，孟星魂选了株枝叶最浓密的树爬上去，然后就像个猫头鹰般躲在枝叶中，瞪大了眼睛。

园中一点动静都没有，既没有人出来，也没有人进去。

孟星魂渐渐开始觉得失望的时候，园中忽然蹿出了条人影。

这人的身法并不慢，但脚下却有点站不稳的样子，而且一条手臂仿佛已被打断，用根布带吊在脖子上。他身上穿着件不蓝不紫的衣服，现在已等于完全被撕烂。

孟星魂刚觉得这件衣服很眼熟，这人已抬起头来，像是在看天色，辨方向。

月光照上他的脸。

孟星魂几乎忍不住要叫了出来："小何！"

小何不但没有死，而且逃出来了。

他脸色虽显得疲倦痛苦，但目中却带着种骄傲得意之色。

他自己像是很佩服自己。

看到他的脸色，孟星魂就知道他必定还没有泄露出高老大的秘密。

孟星魂也知道以他的本事，绝对不可能从老伯掌握中逃出来，世上也许没有任何人能从老伯的掌握中逃出来，但他却的的确确逃出来了。

孟星魂想了想，立刻就明白了老伯的意思。

“老伯一定是故意放他逃出来的，看他逃到哪里去，看看究竟谁是在幕后主使他的人。”

想到这一点，孟星魂手心也捏起把冷汗。

他绝不能让小何回去，又无法阻止，因为他知道此刻在暗中必定已有人窥伺，他绝不能暴露自己的身份。

小何已从星斗中辨出了方向，想也不想，立刻就往归途飞奔。

看他跑得那么快，像是恨不得一步就逃回快活林。

孟星魂忽然觉得说不出的愤怒痛怨，几乎忍不住要蹿出去，一拳打烂他的鼻子，打破他的头，更想问问他怎么变得如此愚蠢！

他本是个工于心计的人，孟星魂实在想不到他会变得如此愚蠢。

现在，要阻止他泄露高老大的秘密，看来已只有一个办法。

杀了他！

孟星魂既不愿这样做，也不忍。

幸好他还有第二个法子——杀了在暗中跟踪小何的人！

他继续等下去。

果然片刻后就有三个人从黑暗中掠出来，朝小何奔跑的方向追了下去。

这三人的轻功都不弱，而且先后都保持着一段不短的距离，显见三个人都是跟踪盯梢的好手。

这么样跟踪，就算前面一个人被发现，后面的人还可继续盯下去。

只可惜孟星魂先找的是最后一个。

最后这人轻功反而最高，盏茶后孟星魂才追上他，在他身后轻轻弹了弹手指。

这人一惊，猝然回头。

孟星魂笑嘻嘻地望着他，突然，一拳打在他咽喉上。

这人刚看到孟星魂的笑脸，就已被打倒，连声音都发不出。

孟星魂这一拳简直比闪电还快。

他对付前面两个人用的也是同样的法子。

这法子实在太简单，简单得令人不能相信，但最简单的法子往往也最有效。

这正是老伯最喜欢用的法子，也是孟星魂最喜欢用的。

有经验的人都喜欢用这种法子。

小何脚步不停，奔过安静的黄石镇。

黄石镇上一家小杂货铺里，门板早已上得很紧，片刻却突然蹿出了两个人。

一人道："一定是他。"

另一人道："盯下去！"

这两人轻功也不弱，而且全都用尽全力。

他们都不怕力气用尽，因为他们知道，到了前面镇上，就另外有人接替。

老伯这次跟踪小何，另外还用了很复杂的法子。

无论如何，两种法子总比一种有效。

老伯要是决心做一件事，有时甚至会用出七八种法子，只要是他决心去做的事，到目前还没有失败过。

第八章

摊牌时刻

一觉醒来，孙剑还是很疲倦。

他毕竟不是个铁打的人，何况他身旁睡着的这女人又特别叫人吃不消。

他决定在这里多留个两天，直到这个女人告饶为止。但就在这时，窗外忽然响起了一种很奇怪的声音，就像是弄蛇者的吹笛声，三短一长，之后是三长一短，响过两次后才停止。

孙剑立刻分辨出，这是老伯紧急召集的讯号，听到这讯号后若还不立刻回去，他必定要终生后悔的。

谁也没有这么大的胆子，就连孙剑都没有。

他立刻从床上跃起，先套起鞋子，他光着身都敢冲出去，但光着脚却不行，要他赤着脚走路，简直就像要他的命。

他全身都像是铁打的，但一双脚却很嫩。床上的女人翻了个身，张开蒙蒙眬眬的睡眼一把拉住他，道："怎么？你这就想走了？"

孙剑道："嗯。"

这女人道："你舍得走？就算你舍得走，我也不放你走。"

她得到的回答是一巴掌。

孙剑不喜欢会缠住他的女人。

太阳升起时，孙剑已快马奔出两百里。

他满心焦急，老伯已有多年未发出这种紧急的讯号，他猜不出这次是为了什么。

路旁有卖饼的、卖肉的，也有卖酒的。

他虽然又饥又渴，但却绝不肯停下来。

世上几乎没有什么事能要他停下来。

老伯不但是他的父亲，也是他的朋友。

他随时都肯为老伯死。

新鲜的阳光照在滚烫的道路上，一颗颗碎石子就像刚从火炉里捞出来的。

秋天的太阳有时比夏天更毒。

孙剑揭下帽子，擦了擦汗，他虽然还能支持，但马却已慢了下来。

马没有他这么强健，他没有不停地奔跑两三个时辰，更没有人在他身上用鞭子抽他。

他正想找个地方换匹马，路旁忽然有个人抛了样东西过来，是块石头，用纸包着的石头。

纸上有字！

你想不想知道谁想杀老伯？

孙剑勒马，同时自马上掠起，凌空一个翻身。

他发现道旁树下有很多人，每个人都张大了眼睛，吃惊地望着他。

他也不知道那块石头是谁抛来的，正想问，忽又发现一张很熟悉的脸。

他立刻辨出这人是属于犬组的。

犬组的人最少，但每个人轻功都不太弱，而且都善于追踪。

孙剑招招手，将这人叫过来。

这人当然也认得孙剑。

孙剑沉声道：“你盯的是谁？”

这人虽不愿泄露自己的任务，却也深知孙剑暴躁的脾气。

何况他并不是别人，是老伯的儿子。

这人只好向斜对面的树下瞧了一眼。

孙剑随着他的目光望过去，就看到了小何。

小何坐在那棵树下，慢慢地嚼着一张卷着牛肉的油饼，这么样吃虽然是不容易咬，但他只有一只手。

无论他多么急着回去，也绝不可能光天化日在大路上施展轻功。

何况他又太渴，太饿，太疲倦。

幸好袋里的银子还没有被搜走，正想雇辆空车，在车上好好地睡一觉，一觉醒来时，已到快活林。

他并不怕被人跟踪，因为他是拼着本事逃出来的，老伯就算已发觉他逃走，就算立刻派人追赶，也绝没有这么快。

他觉得这次的逃亡实在精彩极了。

“他们居然以为我被灌醉了，居然一点也不防备就将我留在屋子里，现在他们总该知道我的本事了吧！”

工于心计的人，往往也会很幼稚。

狡猾和成熟本就是两回事。

小何得意得几乎笑了。

还没有笑出，就看到一个人向他走过来。

他从未见过如此壮大、如此精力充沛的人，连道路都像是几乎要被他踩碎，尤其是他的一双眼睛，就像是两团燃烧的火焰。

无论谁被这双眼瞧着，都一定会觉得很不安。

小何嘴里还咬着一块牛肉饼，却已忘了咀嚼。这人竟笔直走到他面前，瞪着他，一字字道：“我姓孙，叫孙剑！”

小何的脸色立刻变了，手里的肉和饼也掉了下来。

他已知道这就是他要找的人了——若非对老伯心怀恶意，听到他的名字怎会惊慌失色？

“谁对老伯无礼，谁就得死！”

孙剑嘴角露出了狞笑。

小何已看出他目中的凶光，忽然跳起来，一只手反切孙剑的咽喉。

他武功本和孟星魂是同一路的，又狠，又准，又快。

这种武功一击之下，很少给别人留下还手的余地。

只可惜他还不够快。

要准容易，要狠也容易，但这“快”字却很难，很微妙，其间相差几乎只是一瞬，但这一瞬却往往可以决定生死。

谁也不知道自己究竟有多快。

谁也不敢认为自己是最快的。快，本无止境，你快，还有人比你更快，你就算现在算最快，将来也必定还有人比你更快。

小何从不知道自己究竟有多快。

现在他知道了。

孙剑没有闪避，挥拳就迎了上去，恰巧迎上了小何的手。

小何立刻听到自己骨头折断的声音，但却没有叫出声来，因为孙剑的另一只手已迎面痛击，封住他的嘴。

他满嘴牙立刻被打碎，鲜血却是从鼻子里飙出来的，就像两根血箭。

路旁每个人都已被吓得呆若木鸡，面无人色。

谁也没有见过这么强、这么狠的角色，更没有见过如此刚猛威烈，却又如此直接简单的拳法。

大家都看得心神飞越，只有一个人心里却在偷偷地笑。

高老大想必也在偷偷地笑。

这里发生的每件事，都早已在她计算之中，她甚至不能不对自己佩服。

想到小何的遭遇，她虽也未免觉得有点遗憾，但这种男人既不值得同情，更不值得爱。

她决定尽快将他忘记，愈快愈好。

她本来心肠并没有这么硬的，但现在却发现，一个人要做事，要活得比别人强，就不能不将心肠硬下来，愈硬愈好。

欲望和财富对一个人的作用，就好像醋对水一样，加了醋的水一定会变酸，有了欲望和财富，一个人也很快就会变了。

孙剑将小何重重摔在地上，就好像苦力摔下他身上的麻袋。

麻袋是软的，小何的脊椎已断成七截，整个人软得就像一只空麻袋。

老伯静静地瞧了瞧他的儿子，脸上一点表情也没有。

律香川已不禁暗暗为孙剑担心，他知道老伯没有表情的时候，往往就是愤怒的时候。

孙剑面上却带着得意之色，道："我已将这人抓回来了。"

老伯道："你在哪里找到他的？"

孙剑道："路上。"

老伯道："路上有很多人，你为什么不一个个全都抓回来？"

孙剑怔了怔，道：“我知道这人想害你，而且是从这里逃出去的。”

老伯道：“你怎么知道？”

孙剑道：“有人告诉我。”

老伯道：“谁？”

孙剑将那张包着石头的纸递过去。

老伯看完了，脸上还是一点表情也没有，缓缓道：“我只问你，有谁从这里逃出去过没有？”

孙剑道：“没有。”

老伯道：“假如真有人从这里逃出去，会是个怎么样的人？”

孙剑道：“当然是个极厉害的角色。”

老伯道：“像那么样厉害的角色，你有本事一拳将他击倒？”

孙剑怔住了。

他忽然也发现小何实在不像是个那么样厉害的角色。他忽然也发觉自己受了别人利用。他只希望老伯痛骂他一顿，痛打他一顿，就像他小时候一样，那么他心里就会觉得舒服些。

但老伯却不再理他。

不理他，也是种惩罚，对他说来，这种惩罚比什么都难受。

老伯转向律香川，道：“他这件事做得虽愚蠢，但却不能说完全没有用。”

律香川闭着嘴。

他知道在这种情况下，无论谁都最好莫要插在他们父子间说话。

何况他已明了老伯的用意。

老伯本就是在故意激怒孙剑。

孙剑在被激怒时虽然丧失理智，但那种愤怒的力量就连老伯见了都不免暗自心惊，世上几乎很少有人能够抵抗那一种力量。

老伯这么做，定然是因为今天早上所发生的事——

早上万鹏王送来了四口箱子。

四口箱子里装着一个活人、四个死人。

每一具尸体都已被毁得面目全非，但律香川还可认得出他们是文虎、文豹、武老刀和完全赤裸、满身乌青的黛黛。

小武被装在黛黛的同一口箱子里，他虽然还活着，但身上每一处关节都已被捏碎。

他只恨自己为什么没有早点死，要眼睁睁瞧着他的妻子被摧残侮辱。

打开箱子的时候，老伯就看到他的一双眼睛。

他眼珠子几乎都已完全凸了出来，死鱼般瞪着老伯。

没有人能形容这双眼里所包含的悲痛与愤怒。

老伯一生中虽见过无数死人，但此刻还是觉得有一股寒意自足底升起，掌心也已沁出了冷汗。

律香川更几乎忍不住要呕吐。

他不能不佩服老伯，因为老伯居然仍能直视小武的眼睛，一字字道："我一定替你报仇。"

听到这七个字，小武的眼睛突然阖起。

他知道，老伯说出的话，永远不会不算数的。

现在，律香川想到那五张脸，还是忍不住要呕吐。

老伯道："他至少能证明这姓何的绝不是万鹏王派来的。"

律香川点点头。

老伯道："万鹏王现在已指着我的鼻子叫阵，这人若是他派来的，他用不着杀了灭口。"

律香川早已觉得很惊异怀疑，这人若不是万鹏王派来行刺的，是谁派来的呢？

他想不出老伯另外还有个如此凶狂胆大的仇敌。

老伯忽然叹了口气，道："我们本来可以查出那人的，只可惜……"

他冷冷瞅了孙剑一眼，慢慢地接着道："只可惜有人自作聪明，误了大事。"

孙剑额上青筋已一根根暴起。

律香川沉吟道："我们慢慢还是可以查出那个人是谁的。"

老伯道："那是以后的事，现在我们要将全部力量都用来对付万鹏王！"

孙剑忍不住大声道："我去！"

老伯冷笑道："去干什么？他正坐在家里等你去送死！"

孙剑垂下头，握紧拳，门外的人都可听出他全身骨节在发响。

老伯道："他要我们去，我们就偏不去，他能等，我们就得比他更能等，他若想再激怒我们，就必定还会有所行动。"

律香川道："是。"

老伯道："你想他下次行动是什么？"

律香川似在沉思。

他懂得什么时候应该聪明，什么时候应该笨些。

老伯道："明天，是铁成刚为他的兄弟大祭之日，万鹏王认为我们必定有人到山上去祭奠，必定准备在那里有所行动，所以我们就一定要他扑个空。"

他话未说完，孙剑已扭头走了出去。

老伯还是不理他，律香川还是在沉思。

过了很久，老伯才缓缓道："你在山上已完全布置好了么？"

律香川道："抬棺的、挖坟的、吹鼓手和念经的道士，都完全换上我们的人，现在我们别的不怕，就怕万鹏王不动。"

老伯道："孙剑一定会有法子要他动的。"

律香川道："他们看到孙剑在那里，也非动不可。"

老伯道："这次万鹏王还不至于亲自出手，所以我也准备不露面。"

律香川道："我想去看看。"

老伯断然道："你不能去，他们只要看到你，就必定会猜出我们已有预防，何况……"

他目光慢慢地转向还在昏迷的小何，道："你还有别的事做。"

律香川道："是。"

老伯道："万鹏王由我来对付，你全力追查谁是主使他的人，无论你用什么法子，却千万不可被第三个人知道。"

律香川凝视着小何，缓缓道："只要这人不死，我就有法子。"

他目中带着深思的表情，接着道："我当然绝不会让他死的。"

铁成刚麻衣赤足，穿着重孝。

他伤势还没有痊愈，但精神却很旺盛，最令人奇怪的是，他看来并没有什么悲伤沉痛的表情。

面前就是他生死兄弟的尸体和棺木，他一直在静静地瞧着，眼睛却没有一滴泪，反而显得分外沉着坚定。

来祭奠的人并不多，七勇士得罪过的人本就不少，但来的人是多是少，铁成刚没有注意，也不在乎。

他目光始终没有从棺木上移开过。

日正当中，秋风却带着种令人不寒而栗的肃杀之意。

铁成刚忽然转过身，面对大众，缓缓道：“我的兄弟惨遭杀害，而且还蒙冤名，我却逃了，就像是一条狗似的逃了。”

他没有半句感激或哀恸的话，一开始就切入正题，但他的意思究竟是什么，却没有人知道。

所以每个人都静静地听着。

铁成刚接着道：“我逃，并不是怕死，而是要等到今天，今天他们的冤名洗刷，我已没有再活下去的理由——”

他并没有说完这句话，就已抽出柄刀。

薄而锋利的刀，割断了他自己的咽喉！

这转变实在太快，快得令人出乎意外，快得令人措手不及。

鲜血飞溅，他的尸身还直挺挺地站着，过了很久才倒下，倒在他兄弟的棺木上。

他倒下去的时候，大家才惊呼出声。

有的人往后退缩，有的冲上去。

只有孙剑，他还是动也不动地站在人群之中。

他看到四个人被人摔得向他身上撞了过来，却还是没有动。

四个人忽然同时抽出了刀。

四把刀分别从四个方向往孙剑身上刺了过去。

他们本来就和孙剑距离很近，现在刀锋几乎已触及孙剑衣服。

孙剑突然挥拳！

他拳头打上一个人的脸时，手肘已同时撞上另一人的脸。

他一挥拳，四个人全都倒下。

四张脸血肉模糊，已完全分辨不出面目。

人群中，忽然有人高声呼叫道："注意右臂的麻布。"

来吊祭的人臂上大多系着条白麻布，大多数人通常都习惯将麻布系在左臂。这四人的麻布在右臂。

还有二十几个人的麻布也在右臂。

呼声一起，人群忽然散开，只留下这二十几个人站在中央。

孙剑却站在这二十几人中央。

呼声停止时，抬棺的、挖坟的、吹鼓手和念经的道士，已同时向这二十几人冲了过来，每个人手中也都多了柄刀。

这二十几人的惨呼声几乎是同时发出的。你若没有亲耳听到，就永远想象不出二十余人同时发出惨叫时，那声音是多么可怕。

你若亲耳听见，就永生再难忘记。

只剩下三个人，还没有倒下，这三人距离孙剑最近，别人没有向他们下手，显然是准备留给孙剑的。

孙剑盯着他们。

这三人的衣服在一刹那间就已被冷汗湿透，就像是刚从水里捞起。

其中一个人突然弯下腰，风中立刻散发出一阵扑鼻的臭气。

他裤子已湿，索性跪了下去，痛哭流涕，道："我不是，我不是他们一伙的……"

他话未说完，身旁的一人忽然挥刀向他颈子砍下，直到他的头颅滚出很远时，目中还有眼泪流下！

另一人已完全吓呆了。

挥刀的人厉声叱喝道："死就死，没有什么了不起。"

他手一反，刀转向自己的脖子。

孙剑突然出手，捏住了他的手腕。

他腕骨立刻被捏碎，刀落地，他眼泪也痛得流下，嘶声道："我想死都不行？"

孙剑道："不行。"

这人的脸已因恐惧和痛苦而变形，挣扎着道："你想怎么样？"

孙剑的嘴没有回答，他的手却已回答。

他的手不停，瞬息间已将这人身上每一处关节全都捏碎。

然后他转向那已吓得呆如木头的人，一字一字道：“带这人回去，告诉万鹏王，他怎样对付我们，我们必将加十倍还给他！”

这一战虽然大获全胜，但孙剑胸中的怒火并未因之稍减。

他奇怪，这一战本极重要，万鹏王却不知道为什么并未派出主力。

鲜血已渗入泥土，尸体已逐渐僵硬。

老伯派来的人正在清理战场。孙剑慢慢地走向铁成刚。

铁成刚虽已倒在棺木上，但在他感觉中，却仿佛永远是站着的，而且站得很直。

这是他的朋友，也不愧是他的朋友。

铁成刚的人虽然已死，但义烈却必将长存在武林。

孙剑忽然觉得热泪盈眶，慢慢地跪了下来，他平生从不肯向人屈膝，无论是活人还是死人，都不能令他屈膝。

但现在，他却心甘情愿地跪下，因为只有如此才能表达出他的尊敬。

风在吹，不停地吹。

一片乌云掩去了月色，天地间立刻变得更肃杀清冷。

孙剑闭上眼睛，静默哀思。

他刚刚闭上眼睛，鼻端突然闻到一股奇特的香气。

香气赫然竟是从铁成刚伏着的那口棺材里发出来的。

孙剑额上青筋忽又暴起，挥拳痛击，棺木粉碎，棺木中发出一声惊呼。

一柄剑随着惊呼，从碎裂的棺木中刺出来。

孙剑想闪避，但全身顿然无力，身体四肢都已不听他指挥。

剑光一闪，从他胸膛前刺入，背后穿出。

鲜血随着剑尖溅出。

他的血也和别人一样，是鲜红的。

他眼睛怒凸，还在瞪着这握剑的人，鲜血又随着他崩裂的眼角流下，沿着他扭曲的面颊流下。

握剑的人一击得手，若是立刻逃还来得及，但眼角忽然瞥见孙剑的脸，立刻忍不住激灵灵打了个寒噤，手发软，松开。

等他惊魂初定，就看到满天刀光飞舞。

乱刀将他斩成了肉酱。

没有人出声，没有人动。

甚至连呼吸都已完全停顿。

大家眼睁睁地瞧着孙剑的尸体，只觉得指尖冰冷，脚趾冰冷，只觉得冷汗慢慢地沿着背脊流下，就好像有条蛇在背上爬。

孙剑竟真的死了！这么样的一个强人，竟也和别人一样会死。

谁都不相信，却又不能不相信。

没有人敢将他的尸身抬回去见老伯。

“棺材里那人是从哪里来的，怎么会躲到棺材里去的？”

这本无可能。

这丧车上上下下本都已换了老伯的人。

其中有个人的目光忽然从孙剑的尸体上抬起，盯着对面的两个人。

这两人就是抬着这口棺木来的。

所有的人目光立刻全都跟着盯着他们，每一双眼睛中都充满了愤怒和仇恨。

这两人身子已抖得连骨节都似已将松散，忽然同时大叫：“这不是我们的主意，是……”

就在这时，一个威严响亮的声音发出了一声大喝：“杀！”

老伯石像般站着。

他面前有口木箱，箱子里躺着的，就是他爱子的尸身。

剑还留在胸膛上。

他很了解他的儿子，他绝不相信世上有人能迎面将剑刺入他胸膛。

这一剑究竟是谁刺的？

谁有这么大本事？

山上究竟发生了什么事？

没有人知道，到山上去的人，已没有一个还是活着的。

老伯静静地站着，面上还是毫无表情。

忽然间，他泪已流下。

律香川垂下了头。

以前他从未看过老伯流泪，现在，他是不敢看。一个像老伯这样的人，居然会流泪，那景象不但悲惨，而且可怕。

老伯的心几乎已被撕成碎片。多年来他从未判断错误。

多年来他只错了一次。

这唯一的错误竟害死了他唯一的儿子，但他直到此刻，还不知错误究竟发生在哪里！

所以同样的错误以后也许还可能发生。

想到这一点，他全身都已僵硬。

他的组织本来极严密，严密得就像是一只蛋，但现在这组织却已有了个缺口，就算是针孔般大的缺口，也能令蛋白蛋黄流尽，等到那时，这只蛋就是空的，就算不碎，也变得全无价值。

他宁愿牺牲一切来找出这缺口在哪里，可是却找不到。

暮色渐临，没有人燃灯，每个人都已被融入黑暗的阴影里，每个人都可能是造成那缺口的人。

几乎只有一个人才是他完全可以信任的。

他骤然转身，发出简短的命令。

“去找韩棠！”

第九章

生死一发

韩棠并不像个养鱼的人，但他的确养鱼，养了很多鱼，养在鱼缸里，有时他甚至会将小鱼养在自己喝茶的盖碗中。

大多数时候他都将其他那些养的鱼放在一起，静静地坐在水池旁，坐在鱼缸边，静静地欣赏鱼在水中那种悠然自得的神态，生动美妙的姿势。

这时，他也会暂且忘却心里的烦恼和苦闷，觉得自身仿佛也变成了游鱼，正无忧无虑地游在水中。

他曾经想过养鸟，飞鸟当然比游鱼更自由自在，只可惜他不能将鸟养在天上，而鸟一关进笼子，就立刻失去了那种飞翔的神韵，就好像已变得不是一只鸟。

所以他养鱼。

养鱼的人大多数寂寞，韩棠更寂寞。

他没有亲人，没有朋友，连奴仆都没有。

因为他不敢亲近任何人，也不敢让任何人来亲近他。

他认为世上没有一个人是他可以信任的——只有老伯是唯一的例外。

没有人比他对老伯更忠诚。假如他有父亲，他甚至愿意为老伯杀死自己的父亲。

韩棠也钓鱼。他钓鱼的方法当然也和别人一样，但目的却完全不同。

他喜欢看鱼在钓钩上挣扎的神态。每条鱼挣扎的神态都不同，正和人一样，当人们面临着死亡的恐惧时，每个人所表露出的神态都不相同。

他看过无数条鱼在钓钩上挣扎，也看过无数人在死亡中挣扎。

到现在为止，他还没有看到过一个真正不怕死的人——也许只有老伯是唯一的例外。

老伯是他心目中的神，是完美和至善的化身。

无论老伯做什么，他都认为是对的；无论老伯对他怎么样，他都不会埋怨。虽然他并不知道老伯为什么要这样做，却知道老伯一定有极正确的理由。

他还能杀人，还喜欢杀人。

但老伯不要他杀，他就心甘情愿地到这里来忍受苦闷和寂寞。

所以他时常会将杀机发泄在鱼身上。

有时他甚至会将鱼放在鸟笼里，放在烈日下，看着它慢慢地死。

他欣赏死亡降临的那一刻，无论是降临在鱼身上，是降临到人身上，还是降临到他自己身上。

他时常在想，当死亡降临到自己身上时，是不是更刺激有趣？

养鱼的人并不少，很多人的前院中、后园里，都有个养鱼的水池或鱼缸，但他们除了养鱼外，还做许多别的事。

他们时常将别的事看得比养鱼重要。

但真正养鱼的人只养鱼，养鱼就是他们生命中最重要的事。

真正养鱼的人并不多，这种人大都有点怪。要找个怪人并不是十分困难的事。

所以孟星魂终于找到了韩棠。

满天夕阳，鱼池在夕阳下粼粼生光。

孟星魂也在夕阳下。

他看到鱼池旁坐着一个人，钓竿已扬起，鱼已被钓钩钩住，这人就静静地坐在那里，欣赏鱼在钓钩上挣扎。

孟星魂知道这人一定就是韩棠。

他想过很多种对付韩棠的法子，到最后却一种也没有用。

最后他选的是种最简单的法子，最直接的法子。

他准备就这样直接去找韩棠，一有机会，就直接杀了他。

若没有机会，被他杀了也无妨。

反正像韩棠这种人，你若想杀他，就得用自己的性命去作赌注，否则你无论用多复杂巧妙的法子，也一样没有用。

现在他找到了韩棠。

他直接就走了过去。

他要杀韩棠，不但是为高老大，也为了自己。

一个在不断追寻的人，内心挣扎得也许比钓钩上的鱼更苦，因为他虽然不断追寻，却一直不知道自己追寻的究竟是什么。这样的追寻最容易令人厌倦。

孟星魂已厌倦，他希望杀了韩棠后，能令自己心情振奋。

每个人心底深处都会找一个最强的人作为对手，总希望自己能击倒这对手，为了这目的，人们往往不惜牺牲一切代价。

孟星魂走过去的时候，心里的紧张和兴奋，就像是个初上战场的新兵。

但他的脚步还是很轻，轻得像猫，捕鼠的猫，轻得像只脚底长着肉掌，正在追捕猎物的豹子。

他并没有故意将脚步放轻，他已习惯，很少人能养成这种习惯，要养成这种习惯并不容易。

韩棠没有回头，没有抬头，甚至没有移动过他的眼睛。

钓竿上的鱼已渐渐停止挣扎，死已渐临。

韩棠忽然道："你是来杀我的？"

孟星魂脚步停下。

韩棠并没有看到他，也没有听到他说话。

难道这人能嗅得出他心里的杀机？

韩棠道："你杀过多少人？"

孟星魂道："不少。"

韩棠道："的确不少，否则，你脚步不会这么轻。"

他不喜欢说太多话。

他说的话总是包含着很多别的意思。

只有心情镇定的人，脚步才会这么轻。想杀人的人，心情难镇定；想杀韩棠的人，心情更难镇定。他虽然没有说，孟星魂却已了解他的意思。他不能不承认韩棠是个可怕的人。

韩棠道："你知道我是谁？"

孟星魂道："是。"

韩棠道："好，坐下来钓鱼。"

这邀请不但突然，而且奇怪，很少人会邀请一个要杀他的人一同钓鱼。

这种邀请也很少有人会接受。

孟星魂却走了过去，坐下，就坐在他身旁几尺外。

韩棠手边还有几根钓竿，他的手轻弹，钓竿斜飞起。

孟星魂一抄手接住，道："多谢！"

韩棠道："你钓鱼用什么饵？"

孟星魂道："用两种！"

韩棠道："哪两种？"

孟星魂道："一种是鱼最喜欢的，一种是我最喜欢的。"

韩棠点点头，道："两种都很好。"

孟星魂道："最好不用饵，要鱼来钓我。"

韩棠忽然不说话了。

直到现在为止，他还没有去看孟星魂一眼，也没有想去看的意思。

孟星魂却忍不住要看他。

韩棠的面目本来很平凡，平凡的鼻子、平凡的眼睛、平凡的嘴，和我们见到的大多数人都完全一样。

这种平凡的面目，若是长在别人身上，绝不会引人注意。但长在韩棠身上就不同。只瞧了一眼，孟星魂心头就好像突然多了种可怕的威胁和压力，几乎压得他透不过气来。

他悄悄将钓丝垂下。

韩棠忽然道："你忘了放饵。"

孟星魂手上的筋骨忽然紧缩，过了很久，才道："我说过，最好不用饵。"

韩棠道："你错了，没有饵，就没有鱼。"

孟星魂紧握着渔竿，道："有鱼无鱼都无妨，反正我在钓鱼。"

韩棠慢慢地点了点头，道："说得好。"

他忽然转头，盯着孟星魂。

他目光就好像钉子，一钉上孟星魂的脸，就钉入骨肉中。

孟星魂只觉得脸上的肌肉已僵硬。

韩棠道："是谁要你来的？"

孟星魂道："我自己。"

韩棠道："你自己想杀我？"

孟星魂道："是。"

韩棠道："为什么？"

孟星魂拒绝回答，他用不着回答，他知道韩棠自己也会明白的。

过了很久，韩棠又慢慢地点了点头，道："我也知道你是谁了。"

孟星魂道："哦？"

韩棠道："我知道近年来江湖中出了个很可怕的刺客，杀了许多很难杀的人。"

孟星魂道："哦？"

韩棠道："这刺客就是你！"

孟星魂没有否认——没有否认就是承认。

韩棠道："但你要杀我还不行！"

孟星魂道："不行？"

韩棠道："杀人的人很少聪明，你很聪明，对一件事的看法也很高妙。"

孟星魂听着。

韩棠道："就因为你想得太高妙，所以不行，杀人的人不能想，也不能聪明。"

孟星魂道："为什么？"

韩棠道："因为只有聪明人才会怕。"

孟星魂道："我怕就不会来了。"

韩棠道："来是一回事，怕是另一回事。"

孟星魂道："你认为我怕，怕什么？"

韩棠道："怕我！你来杀我，就因为怕我，就因为你知道我比你强。"

他目光更锐利，慢慢地接着道："就因为你怕，所以你才会做错事。"

孟星魂忍不住问道："我做错什么？"

韩棠道："第一，你忘了在钓钩上放饵；第二，你没有看到钓钩上本已有饵。"

孟星魂紧握着钓竿的手心里，突然沁出了丝丝冷汗。

因为他已感觉到钓竿在震动，那就表示钓钩上已有鱼。

钓钩上有鱼，就表示钩上的确有饵。

钩上有饵，就表示他的确怕，因为他若不怕，就不会看不见饵。

韩棠道："要杀人的人，连一次都不能错，何况错了两次。"

孟星魂忽然笑了笑，道："错一次并不比错两次好多少，因为错一次是死，错两次也是死。"

韩棠道："死并不可笑。"

孟星魂道："我笑，是因为你也错了一次。"

韩棠道："哦？"

孟星魂道："你本不必对我说那些话的，你说了，所以你错了！"

韩棠也忍不住问道："错在哪里？"

孟星魂道："你说这些话，就表示你并没有把握杀我，所以要先想法子使我心怯。"

韩棠手里的钓钩也在震动，但他却忘了将钓钩举起。

孟星魂道："我经验当然没有你多，心也比不上你狠，出手更比不上你快，这些我都已仔细去想过了。"

韩棠道："你想过，却还是来了。"

孟星魂道："因为我想到，有样比你强的地方。"

韩棠道："哦？"

孟星魂道："我比你年轻。"

韩棠道："年轻并不是长处，是短处。"

孟星魂道："但年轻人体力却强些，体力强的人比较能持久。"

韩棠道："持久？"

孟星魂道："真正杀人的人，绝不肯做没有把握的事，你没把握杀我，所以一直未出手。"

韩棠冷笑。

他脸上一直不带丝毫情感，没有任何表情，此刻，却有种冷笑的表情。

能令没表情的人脸上有了表情，就表示你用的法子很正确，至少你的话已击中他的弱点。

所以孟星魂立刻接着道："你想等我有了疏忽时再出手，但我自然绝不会给你这机会，所以我们只有在这里等着，那就要有体力，就要能持久。"

韩棠沉默着，过了很久，忽然说道："你很有趣。"

孟星魂道："有趣？"

韩棠道："我还没有杀过你这样的人！"

孟星魂道："你当然没有杀过，因为，你杀不了。"

韩棠沉思着，像是根本未听到他在说什么，又过了很久，才淡淡道："我虽未杀过，却见过。"

孟星魂道："哦？"

韩棠道："像你这样的人实在不多，但我却见过一个人几乎和你完全一样！"

孟星魂一心动，脱口道："谁？"

韩棠道："叶翔！"

韩棠果然认得叶翔。

这一点孟星魂早已猜到，但却始终猜不出他们是怎么认得的，有什么关系。韩棠淡淡说道："他冷静、迅速、勇敢，无论要杀什么人，一击必中。在我所见到的人之中，没有第二个比他更懂得杀人。"

孟星魂道："他的确是。"

韩棠道："你认得他？"

孟星魂点点头。

他不想隐瞒，因为韩棠也不想隐瞒，韩棠现在已是他最大的敌人，但他却忽然发现自己在这人面前居然可以说真话。

能让他说真话的人，他并没有遇见几个。

韩棠道："你当然认得他，我早已看出你们是从一个地方来的。"

孟星魂道："你知道我们是从哪里来的？"

韩棠摇摇头，道："我没有问，因为我知道他绝不会说。"

孟星魂道："你怎么认得他的？"

韩棠道："他是唯一的一个能活着从我手下走开的人！"

孟星魂道："我相信。"

韩棠道："我没有杀他，并非因为我不能，而是因为我不想。"

孟星魂道："不想？"

韩棠道："无论做什么事都有很多同行，只有做刺客的是例外，这世上真正的刺客并不多，叶翔却是其中一个。"

孟星魂道："你让他活着，是因为想要他去杀更多的人？"

韩棠道："不错。"

孟星魂道："但你却错了。"

韩棠道："错了？"

孟星魂道："他现在已不能杀人。"

韩棠道："为什么？"

孟星魂道："因为你已毁了他的信心。"

直到现在，孟星魂才真正了解叶翔为什么会突然崩溃的原因。

过了很久，韩棠才慢慢地点了点头，道："他的确已无法杀人，那时我本该杀了他的！"

他抬头，盯着孟星魂，说道："所以，今天我绝不会再犯同样的错，我绝不会让你活着走出去！"

孟星魂淡淡道："我不怪你，因为我也不会让你活着……"

他忽然闭上了嘴。

韩棠嘴角的肌肉也突然抽紧。

他们两人同时嗅到了一种不祥的血腥气。

鱼池在山坳中。

暮色已笼罩群山。

他们同时看到两个人从山坳外踉跄冲了进来，两个人满身浴血，全身上下几乎已没有一处完整干净的地方，能支持到这里，只因为那两人还想活下去。

求生的欲望往往能令人做出他们本来绝对做不到的事。

两个人冲到韩棠面前，才倒下去。

韩棠还是在凝视着自己手里的钓竿，好像就算是天在他面前塌下来，也不能令他动一动颜色。

孟星魂却忍不住看了这两人一眼，其中一人立刻用乞怜的目光向他求助，喘息着道：“求求你，把我们藏起来，后面有人在追……”

另一人道：“我们都是老伯的人，一时大意被人暗算，连老伯的大公子孙剑都已被杀。”

孟星魂忍不住又去看了韩棠一眼，他以为韩棠听到这消息至少应该回头问问。

韩棠却像是没有听见。

那人又道：“我们并不是怕死贪生，但我们一定要将这消息回去报告老伯。”

另一人道：“只要你肯帮我们这次忙，老伯必有重谢，你们总该知道老伯是多么喜欢朋友的人！”

孟星魂只是听着，一点反应也没有。他等着看韩棠的反应。

韩棠也没有反应，就好像根本没听过“老伯”这人的名字。

孟星魂不禁暗暗佩服，却又不免暗自心惊。

他已从韩棠身上将老伯这人了解得更多，了解得愈多，愈觉得心惊，能令韩棠这种人死心塌地，老伯的可怕自然更可想而知。

他刚发现这两人目中露出惊诧不安之色，山坳外已掠来三条人影。

第一人喝道：“我早已告诉过你们，就算逃到天边也逃不了的，快纳命来吧！”

第二人道：“我们既已来到这里，至少也该跟这里的主人打个招呼才是。”

第三人道：“哪位是这里的主人？”

他眼睛盯着孟星魂。

孟星魂道：“我是来钓鱼的。”

第一人道：“无论谁是这里的主人，只要将这两个小子交出来就没事，否则……”

第二人说话总比较温和，道：“这两人是孙玉伯的手下，杀了我们不少人，冤有头，债有主，我们来找的只是他们。”

躺在地上的两个人挣扎着，似乎又想逃走。

韩棠忽然道：“你们一定要这两个人？”

他一说话，孟星魂就知道他要出手了。

他一出手，这三个人，就绝没有一个能活着回去。

第一人道："当然要，非要不可。"

韩棠道："好！"

"好"字出口，他果然已出手。

谁也看不清他是怎样出手的，只听"砰"的一声，正挣扎着爬起来的两个人头已撞在一起。

孟星魂不得不闪了闪身，避开飞溅的鲜血和碎裂的头骨。

韩棠就好像根本未回头，道："你们既然要这两个人，为什么还不过来拿去？"那三个人目中也立刻露出惊诧不安之色，就好像已死了的这两个人一样，谁也不懂韩棠为什么要杀死老伯的手下。孟星魂却懂。就在这两人挣扎着爬起的时候，他已发现他们伤势并不如外表看来那么严重，已发现他们袖中都藏着弩筒一般的暗器。

这根本就是一出戏。

这出戏当然是演给韩棠看的。

他若真的相信了这两人是老伯的手下，此刻必已遭了他们的毒手。

孟星魂只奇怪韩棠是怎么看出来的，因为他根本没有看。

对方三个人显然更奇怪，孟星魂带着好奇的目光瞧着他们，不知道他们要怎么样才能退下去。

第二人道："我们本来就只不过想要他们的命，现在他们既然已没有命，我们也该告辞了。"

他说话一直很温和，像是早已准备来打圆场似的。

这句话说完，三个人已一齐向后跃身。

就在这时，突见刀光闪动。

三声惨呼几乎同时响起，同时断绝，三颗头颅就像是三个被一脚踢出去的球，冲天飞了出去。

好快的刀。

刀锋仍然青碧如水，看不到一点血渍。

刀在一个锦衣华服的彪形大汉手上，这人手上就算没有刀，也同样能令人觉得威风凛凛，杀气腾腾。

孟星魂一眼就看出他平时一定是个惯于发号施令的人，只有手里掌握着生杀大权的人，才会有这样的威风和杀气。

他只希望这人不是老伯的"朋友"！

只听这人沉声道：“这五个人都是十二飞鹏帮的属下，故意演这出戏来骗你上当，你本不该放他们逃走的。”

孟星魂的心沉了下去。

这人显然是老伯的朋友，韩棠再加上这么样一个人，孟星魂已连一分机会都没有。

韩棠忽然道：“你认得他们？”

这人笑了笑，道：“老伯帮过我一次很大的忙，我一直想找机会回报，所以我知道老伯和十二飞鹏帮结怨之后，我一直在留意他们的举动。”

韩棠点点头，道：“多谢……”

听到这“谢”字，孟星魂已发觉不对了。

韩棠绝不是个会说“谢”字的人。

就在这时，他已看到韩棠手里的钓竿挥出，钓丝如绞索般向这人的脖子上缠了过去。

韩棠真的喜欢杀人，别人帮了他的忙，他也要杀。

好像无论什么人他都要杀。

绞索已套上这人的脖子，抽紧，绷直——这钓丝也不知是什么制成的，比牛筋还坚韧。

他的呼吸已停顿。

韩棠只要出手，就绝不会给对方任何抵挡闪避的机会。

一击必中。

这是韩棠出手的原则，也就是孟星魂出手的原则。

但这次，韩棠却犯了个无法挽救的错误。

他始终没有回头，没有看到这人手里握着的是把怎么样的刀。

刀挥起，斩断了绞索，发出“嘣”的一响。

这人已凌空翻身，退出五丈。

韩棠也知道自己错了，他太信任这根绞索，他太信任自己。

“一个人自信太强也同样容易发生错误的，有时甚至比没有自信更坏。”

韩棠想起了老伯的话，孟星魂第一次看到他脸色变了。

他和孟星魂同样知道，这人不像他们，绝不敢相信自己一击必中！

所以他一击不中，必定还有第二击。他手抚着咽喉，还在喘息，暮色中又有三个人箭一般蹿过来。

这三人一现身，他立刻恢复了镇定，忽然对韩棠笑了笑，道：“你怎知道那五人全是幌子，我才是真正来杀你的？”

韩棠不回答，却反问道：“你们都是十二飞鹏帮的人？”

这人道：“屠城屠大鹏。”

另外三个人也立刻报出了自己的名姓。

“罗江罗金鹏。”

“萧安萧银鹏。”

“原冲原怒鹏。”

现在这出戏已演完，他们已没有隐瞒的必要，何况他们始终都没有瞒过韩棠。韩棠的瞳孔在收缩，他知道这四个人，知道这四个人的厉害。

这世上还没有任何人能单独对付他们四个。

他已渐渐感觉到死亡降临的滋味。

孟星魂忽然觉得自己所处的地位很可笑。

他是来杀韩棠的，但现在屠大鹏他们却必定已将他看成是韩棠的朋友。

他们绝不会放过他。

韩棠呢？是不是也想要他陪自己一起死？

他唯一的生路也许就是先帮韩棠杀了这四个人再说，可是他不能这样做。

他绝不能在任何一个活着的人面前泄露自己的武功，他也没把握将这四个人一起杀了灭口。

所以他只有死。

屠大鹏他们一直在不停地说话。

“韩棠，你该觉得骄傲才是，杀孙剑的时候，我们连手都没有动，但杀你，我们却动用了全力。”

“你知不知道我们为什么要杀你？”

“因为你是孙玉伯的死党，十二飞鹏帮现在已经和孙玉伯势不两立。”

“你一定会奇怪我们怎么知道你和孙玉伯的关系，这当然是有人告诉我们的，只可惜你一辈子也猜不出这个人是谁。”

“这人当然很得孙玉伯的信任，所以才会知道你们的关系。”

“孙玉伯一向认为他的属下都对他极忠诚，但现在连他最信任的人也出卖了他，这就好像一棵树的根已经烂了。”

“根若已烂了，这棵树很快就会烂光的。”

“所以你只管放心死吧，孙玉伯一定很快就会到十八层地狱去陪你。”

韩棠听着，他的神情虽然还很镇定，连一点表情也没有，但那只不过因为他脸上的肌肉已僵硬。

孟星魂本来一直在奇怪，屠大鹏他们为什么要说这些话，现在才忽然明白，他们说这些话只不过是想分散韩棠的注意力，令韩棠紧张！

心情紧张不但令人的肌肉僵硬，反应迟钝，也能令一个人软弱。

孟星魂已可想象到韩棠今日的命运。

可是他自己的命运呢？

他忽然发现屠大鹏在向他招手，他立刻走过去。

他走过去的时候全身都在发抖，他虽然没有听过老伯的那些名言，却懂得如何让敌人轻视他，低估他。

屠大鹏的眼睛就像根鞭子，正上上下下地抽打着他，过了很久才道：“你是来钓鱼的？”

孟星魂点点头。

屠大鹏道：“你不认得韩棠？”

孟星魂摇摇头。

屠大鹏道：“你不认得他，为什么会让你在这里钓鱼？”

孟星魂道：“因为……因为我是个钓鱼的人。”

这句话非但解释得很不好，而且根本就不能算是解释。

但屠大鹏却点了点头，道：“说得好，就因为你只不过是个钓鱼的，他认为你对他全无危险，所以才会让你在这里钓鱼。”

孟星魂道：“我正是这意思。”

屠大鹏道：“只可惜你并不是个聋子。”

孟星魂目中露出茫然不解之色，道：“聋子？我为什么要是个聋子？”

屠大鹏道：“因为你若是个聋子，我们就会放你走，但现在你听到的却已太多了，我们已不能不将你杀了灭口，这实在抱歉得很。”

他说话的态度很温和，很少有人能用这样的态度说出这种话！

孟星魂已发觉他能在十二飞鹏帮中占如此重要的地位绝非偶然，也已发觉要从这种人手下活着走开并不容易。

屠大鹏忽又问道：“你会不会武功？”

孟星魂拼命摇头。

屠大鹏道：“你若会武功，也许还有机会——我们这四人，你可以随便选一个，只要你能赢得了一招半式，就可以大摇大摆地走。”

这实在是个很大的诱惑。

他们这四人无论哪一个都不是孟星魂的敌手。

要拒绝这种诱惑不但困难，而且痛苦。孟星魂却知道自己若接受了这诱惑，就好像一条已吞下饵的鱼。

山坳外人影幢幢，刀光闪动。

屠大鹏并没有说谎，他们这次行动的确已动用了全力。

现在养鱼的人自己也变成了一条鱼。

一条网中的鱼。

孟星魂不想吞下这鱼饵，但他若拒绝，岂非又显得太聪明？

屠大鹏的鱼饵显然也有两种，而且两种都是他自己喜欢的。

孟星魂只觉脖子僵硬，仿佛已被根绞索套住。

他艰涩地转了转头，无意间触及了屠大鹏的目光，他忽然从屠大鹏的眼睛里看出了一线希望。

屠大鹏看着他的时候，眼睛里并没有杀机，反而有种很明显的轻蔑之意。

他垂下头，忽然向屠大鹏冲过去。

屠大鹏目中掠过一丝笑意，手里刀已扬起。

孟星魂大叫，道：“我就选你！”

他大叫着扑向屠大鹏手里的刀锋，就像不知道刀是可以杀人的。

锐利的刀锋刺入他胸膛时，仿佛鱼滑入水，平滑而顺利。

他甚至完全没有感到痛苦。

他大叫着向后跌倒，不再爬起。他本是仰面跌倒的，身子突又在半空扭曲抽动，跌下时，脸扑在地，叫声中断的时候，鲜血已完全自刀尖滴落，刀锋又莹如秋水。

好刀！

屠大鹏看着已死鱼般倒在地上的孟星魂，慢慢地摇了摇头，叹道："这孩子果然只懂得钓鱼。"

原怒鹏也在摇着头，道："我不懂这孩子为什么要选你？"

屠大鹏淡淡道："因为他想死！"

说到"死"时，他身子突然蹿出。

他身子蹿出的时候，罗金鹏、萧银鹏、原怒鹏的身子也蹿出。

四个人用的几乎是完全同样的身法，完全同样的速度。

四个人就像是四支箭，在同一刹那中射出。

箭垛是韩棠。

没有人能避开这四支箭，韩棠也不能。

他真的好像已变成了箭垛。

四支箭同时射在箭垛上。

愈灿烂的光芒，消逝得愈快。

愈激烈的战役，也一定结束得愈快。

因为所有的光芒和力量都已在一瞬间迸发，因为所有的光芒和力量就是为这决定性的一刹那存在。在大多数人眼中看来，这一战甚至并不激烈，更不精彩。

屠大鹏他们四个人冲过去就已经将韩棠夹住。

韩棠的生命就立刻被挤出。

四个人分开的时候，他就倒下。

战斗在一刹那间发动，几乎也在同一刹那间结束。

简单的战斗，简单的动作。

简单得就像是谋杀。但在孟星魂眼中看来却不同，他比大多数人看得都清楚。

他将他们每一个动作都看得很清楚。他们的动作并不简单，就在这一刹那间，他们至少已做出了十七种动作。

每一种动作都极锋利，极有效，极残酷。

孟星魂并没有死。

他懂得杀人，懂得什么地方一刀就能致命，也懂得什么地方是不能致命的。

所以他自己迎上了屠大鹏的刀锋。

他让屠大鹏的刀锋刺入他身上不能致命的地方，这地方距他的心脏只有半寸，但半寸就已足够。

杀人最难的一点就是准确，要准确得连半分偏差都不能有。

屠大鹏的武功也许很高，但杀人却是另外一回事。武功高的人并不一定就懂得杀人，正如生过八个孩子的人也未必懂得爱情一样。

他这一刀并不准确，但他以为这一刀已刺入了孟星魂的心脏。

孟星魂很快地倒下，因为他不愿让刀锋刺入太深，他跌倒时面扑向地，因为他不愿血流得太多。

他忍不住想看看屠大鹏他们是用什么法子杀死韩棠的。

他更想看看韩棠是不是有法子抵抗！

像韩棠这种人，世上也许很难再找到第二个，这种人活着时特别，死也一定死得很特别。

要杀死这种人，就必定要有一种更为特别的方法，这种事并不是时常都能看到的，孟星魂就算要冒更大的险，也不愿错过。

这把刀实在太锋利，他倒下去很久之后，才感觉到痛苦，幸好他还可用手将创口压住。

那时屠大鹏已向韩棠扑了过去。

孟星魂本该闭着眼睛装死的，但他却舍不得错过这难得的机会。他看到了，而且看得很清楚。

屠大鹏他们冲过去的时候，韩棠已改变了四种动作。

每一种动作都是针对着他们四个人其中之一发出的，他要他们四个人都认为他已决心要和自己同归于尽。

韩棠若是不能活，他们四个人中至少也得有个陪他死！

只要他们都想到这一点，心里多少都会产生些恐惧。

只要他们四个人中有两个心中有了恐惧，动作变得迟钝，韩棠就有机会突围，反击！

屠大鹏的动作第一个迟钝。

这并不奇怪，因为他已领教过韩棠的厉害。

第二个心生畏惧的是萧银鹏。

他手里本来也握着柄刀，此刻刀竟突然落下。

韩棠的动作又改变，决心先以全力对付罗金鹏和原怒鹏。

只要能将这两人击倒，剩下两人就不足为惧。

谁知就在这刹那间，屠大鹏和萧银鹏的动作也已突然改变。

最迟钝的反而最先扑过来。

韩棠知道自己判断错误时，已来不及了。

他已没有时间再补救，只有将错就错，突然出手抓住了罗金鹏的要害。

罗金鹏痛得弯下腰，一口咬在他肩上，鲜血立刻自嘴角涌出。

他左手的动作虽较慢，但还是插入了原怒鹏的肋骨。

因为原怒鹏根本没有闪避，他的肋骨虽断，却夹住了韩棠的手，然后他左右双手反扣，锁住了韩棠的手肘关节。

他虽已听到韩棠关节被捏断的声音，却还是不肯放手。

这时萧银鹏已从后面将韩棠抱住，一只手抱住了他的腰，一只手扼住了他的咽喉。

屠大鹏的刀已从前面刺入了他的小腹。

韩棠全身的肌肉突然全都失去控制，眼泪、口水、鼻涕、大小便突然一齐涌出，甚至连眼珠子都已凸出，脱离眼眶。然后，罗金鹏、原怒鹏、萧银鹏才散开。

罗金鹏身子还是虾米般弯曲着，脸上已疼得全无人色，眼泪沿着面颊流下，将嘴角的鲜血颜色冲成淡红，他牙关紧咬，还咬着韩棠的一块肉。

只有屠大鹏还是站在那里，动也不动，脸上也已全无人色。

那当然不是因为痛苦，而是因为恐惧。

只有他一个人看到了韩棠的脸。

他虽然杀人无数，但看到这张脸时，还是不禁被吓得魂飞魄散。

韩棠还没有倒下，因为屠大鹏的刀锋还留在他小腹中。

他们每一个动作，孟星魂都看得很清楚。

若不是面扑在地，可以将胃压住，他此刻必已不停呕吐。

他自己也杀过人，却很少看到别人杀人。

他想不到杀人竟是如此残酷，如此可怕。

他们的动作已不仅是残酷，已有些卑鄙，已连野兽都不如。

过了很久很久。

屠大鹏才能发得出声。

他的声音抖得像绷紧了的弓弦，紧张而嘶哑。

“我知道你死不瞑目，死后一定会变为厉鬼，但你的鬼魂却不该来找我们，你应该去找那出卖你的人。”

韩棠当然已听不见，但屠大鹏还是往下说：“出卖你的人是律香川，他不但出卖你，还出卖了孙玉伯！”

萧银鹏突然冲过来，将屠大鹏拖开。

他的声音也在发抖，嗄声道：“走，快走……”

韩棠尸体倒下时，他已将屠大鹏拖出很远，就好像韩棠真的已变为厉鬼，在后面追赶着要报仇。

罗金鹏已不能举步，只有在地上滚，滚出去很远，才被原怒鹏抱起。

他突然张嘴呕吐，吐出了嘴里的血肉，吐在鱼池里。立刻有一群鱼游来争食这团血肉。

这是韩棠的血，韩棠的肉。

他活着的时候，又怎会想到鱼也有一天能吃到他的血肉？

他吃鱼，现在鱼吃他。他杀人，现在也死于人手！这就是杀人者的结果！

死寂。

风中还剩留着血腥气。

孟星魂伏在地上，地上有他的血，他的汗。

“这就是杀人者的结果。”

冷汗已湿透了他的衣服。

今天他没有死，除了因为他判断正确外，实在还有点侥幸。

“真的是侥幸？”

不是！

不是因为侥幸，也不是因为他判断正确！

看屠大鹏他们杀韩棠，就可以看出他们每一个步骤、每一个动作，事先都经过很严格的训练和很周密的计划。

他们的动作不但卑鄙残酷，而且还非常准确！

每一个动作都准确得分毫不差！

“但屠大鹏那一刀为什么会差上半寸呢？”

孟星魂一直在怀疑，现在突然明白。

他没有死，只不过因为屠大鹏根本就不想杀死他！

他所说的话，屠大鹏根本连一句都不信，也全不入耳。屠大鹏显然认定，他也是韩棠的同伴，孙玉伯的手下。

所以屠大鹏要留下他的活口，去转告孙玉伯。

“律香川就是出卖韩棠的人，就是暗中和十二飞鹏帮串通的奸细！”

所以律香川绝不是奸细！

万鹏王要借孙玉伯的手将律香川除去。

万鹏王要孙玉伯自己除去他自己最得力的干部！

因为在万鹏王眼中，最可怕的人不是韩棠，而是律香川。

要杀孙玉伯，就一定要先杀了律香川。

这计划好毒辣。

直到现在，孟星魂才明白律香川是个怎么样的人，才明白他地位的重要。

现在孙剑和韩棠已被害，老伯得力的助手已只剩下他一个人。

以他一人之力，就能斗得过万鹏王的“十二飞鹏”？

孟星魂在思索，却已无法思索。

他忽然觉得很疲倦、很冷，疲倦得只要一闭起眼睛就会睡着。

冷得只要一睡着就会冻死。

他不敢闭起眼睛，却又无力站起。

创口还在往外流血，血已流得太多，他生命的力量大多都已随着血液流出，剩下的力量只够他勉强翻个身。

翻过身后，他更疲倦，更无法支持。

就在这时，他看到了叶翔。

屋子里很阴暗。空气潮湿得像是在条破船的底舱，木器都带着霉味。

风吹不到这里，阳光也照不到这里。

这就是韩棠活着时住的地方。

屋角有张凳子，高而坚硬，任何人坐在上面都不会觉得舒服。

韩棠却时常坐在这张凳子上，有时一坐就是大半天。

他不喜欢舒服，不喜欢享受。

他这人活着是为了什么，也许连他自己都不清楚。

现在，坐在凳上的是叶翔。

他静静地坐着，眼睛里一片空白，仿佛什么也没有看，什么也没有想。

韩棠坐在这里时，神情也和他一样。

孟星魂就躺在凳子对面的床上，已对他说出了这件事的经过。现在正等着他下结论。

听的时候，他一句话也没有说，现在却已到了他说话的时候。

他慢慢地一字一字道："今天你做了件很愚蠢的事。"

孟星魂点点头，苦笑，道："我知道，我本来不必挨这一刀的。我早就应该从屠大鹏的眼睛里看出，他们根本没有杀我的意思。"

叶翔缓缓道："无论在任何情况下，你都不必要流血。"

他笑了笑，笑得很辛涩，慢慢地又接着道："在我们这种人身上，剩下的东西已不多，绝没有比血更珍贵的。"

孟星魂眼睛望着屋顶。

屋顶也发了霉，看来有些像是锅底的模样。韩棠这一生，岂非就好像活在锅里一样么？他不断地忍受着煎熬。

但他毕竟还是忍受了下去。

孟星魂叹了口气道："也许还有比血更珍贵的！"

叶翔道："有？"

孟星魂道："有一样。"

叶翔道："你说的是泪？"

孟星魂点点头，道：“不错，有种人宁可流血，也不愿流泪。”

叶翔道：“那些人是呆子。”

孟星魂道：“任何人都可能做呆子，任何人都可能做出很愚蠢的事。”

他忽又笑了笑，接着道：“屠大鹏他们今天本来也不必留下我活口的。”

叶翔沉吟着，道：“他的确不必。”

孟星魂道：“孙玉伯知道韩棠的死讯后，第一个怀疑的人必定就是律香川了。”

叶翔道：“一个人遇到很大的困难和危险时，往往就会变得很多疑，对每个人都怀疑，觉得世上已没有一个他可以信任的人。”

他苦笑，又道：“这才是他的致命伤，那困难和危险也许并不能伤害到他，但‘怀疑’却往往会要了他的命。”

孟星魂道：“孙玉伯若真杀了律香川，就会变得完全孤立。”

叶翔道：“你错了。”

孟星魂道：“错了？”

叶翔道：“你低估了他。”

孟星魂道：“我也知道他不是个容易被击倒的人，但无论多大的树，若已孤立无依，也都很容易就会被风吹倒。”

叶翔道：“一棵树若能长得那么高大，就必定会有很深的根。”

孟星魂道：“你的意思是说……”

叶翔道：“我的意思是说，大树的根长在地下，别人是看不见的。”

孟星魂道：“孙玉伯难道还有别的部属？藏在地下的部属？”

叶翔道：“还有两个人。”

孟星魂道：“两个人总比不上十二个人。”

叶翔道：“但这两个人也许比别的十二个人加起来都可怕。”

孟星魂道：“你知道这两个是谁？”

叶翔沉默了很久，才缓缓地说道：“一个叫陆冲。”

孟星魂皱了皱眉道：“陆冲？你说的是不是陆漫天？”

叶翔道：“是。”

孟星魂道："他怎会和孙玉伯有关系？"

叶翔道："他不但和孙玉伯有关系，和律香川也有关系。"

孟星魂道："哦？"

叶翔道："他是律香川嫡亲的外舅。"

他接着又道："孙玉伯手下有两股最大的力量，他就是其中之一。"

孟星魂道："还有一人呢？"

叶翔道："易潜龙，你当然也知道这个人。"

孟星魂知道。

江湖中不知道易潜龙的人很少。

长江沿岸，有十三股流匪，有的在水上，有的在陆上。

易潜龙就是这十三股流匪的总瓢把子。

孟星魂沉吟着道："这么说来，那十三股流匪也归孙玉伯指挥的了。"

叶翔缓缓道："他并没有直接指挥他们，因为他近来已极力走向正途，不想再和黑道上的朋友有任何关系，但他若有了危险，他们还是会为他卖命的。"

孟星魂道："想不到孙玉伯的根竟这么深。"

叶翔道："所以十二飞鹏帮现在虽占了优势，但这一战是谁胜谁负，还未可知。"

孟星魂默然。

叶翔凝视着他，忽又道："我说这些话的意思，你懂不懂？"

孟星魂道："我懂。"

叶翔道："真的懂？"

孟星魂道："你想要我放弃这件事。"

叶翔道："我不勉强你，我只想劝你，好好地为自己活下去。"

孟星魂道："我明白。"

他的确明白，所以他心中充满感激，叶翔这一生已毁了，他已将希望完全寄托在孟星魂身上。

因为孟星魂就像是他的影子。

但孟星魂也有不明白的事。

他忽然又道："你对孙玉伯的事好像知道得很多。"

叶翔忽然沉默。

"你怎么会知道这么多的？"他没有问，因他知叶翔不愿说。叶翔不愿说，就一定有很多充足的理由。

孟星魂六岁时就和他生活在一起，现在才忽然发现自己对他了解并不太深，知道得也并不太多。

"一个人若想了解另一个人，可真不容易。"

孟星魂叹了一口气，道："我明白你的意思，可是我还不想放弃。"

叶翔道："为什么？"

孟星魂道："因为我现在还有机会。"

叶翔道："你有？"

孟星魂道："有——鹬蚌相争，渔翁得利。"

他笑了笑，接着道："孙玉伯和万鹏王的力量既然都如此巨大，拼下去一定两败俱伤，这就是机会，而且机会很好，所以我不能放弃。"

叶翔沉默了很久，道："就算你能杀了孙玉伯，又怎么样呢？"

孟星魂道："我不知道——我只觉得车轭既已套在我身上，我就只有往前走。"

有时他的确觉得自己像是匹拉车的马，也许更像是条推磨的驴子，被人蒙上眼，不停地走，以为已走了很远，其实却还在原地未动。

"走到什么时候？"

他没有想过，也不敢想，他怕想多了会发疯。

叶翔慢慢道："所以，你就在这里等着。"

孟星魂的笑容比鱼胆还苦，点头道："等的滋味虽不好受，但我却已习惯。"

"等什么？等杀人，还是等死？"

孟星魂忽又道："你回去告诉老大，就说我也许不能在限期内完成工作，但我若不能完成工作，就绝不回去。"

叶翔慢慢地点了点头，道："我明白你的意思，你这一生已准备为高老大活着——我明白，因为我以前也一样。"

孟星魂道："现在呢？"

叶翔道："现在？现在我还活着么？"他忽然觉得满嘴苦涩，忍不住拿起桌上的茶壶，喝了一口。

他已有很久没有喝过茶，想不到这茶壶里装的居然是酒。

很烈的酒。

叶翔忽又笑了，喃喃道："想不到韩棠原来也喝酒的，我一直奇怪，他怎么能活到现在，像他这种人，若没有酒，活得岂非太艰苦？"

孟星魂忍不住说道："你对他知道得好像也很多。"

他以为叶翔必定不会回答这句话，谁知叶翔却点点头，黯然道："我的确知道他，因为我知道我自己。"

孟星魂道："他和你不同。"

叶翔苦笑，道："有什么不同？我和他岂非全都是为别人活着的？我不希望你也和我们一样。"

他抬起头，望着发霉的屋顶，慢慢地接着道："一个人无论如何也得为自己活些时候，哪怕是一年也好，一天也好——我时常都觉得我这一生根本就没有真正活过。"

孟星魂试探着，问道："连一天都没有？"

叶翔灰暗的眸子里，忽然闪出一线光芒。

流星般的光芒，短促却灿烂。

他知道自己的确活过一天，那真是光辉灿烂的一天。

因为他的生命已在那一天中完全燃烧。

他忽然转身走了出去！

这是他生命中最大的欢愉，他要永远保持秘密，独自享受。

因为除了这一天的回忆外，他已没有别的。

叶翔已走了很久，孟星魂却还在想着他，想着他的一生，他的秘密。

"他跟孙玉伯和韩棠之间，必定有种奇特的关系！"

孟星魂忽然看到他出现在这里的时候，就已想到了这一点。

他到这里来，为的也许并不是孟星魂，而是韩棠。

孟星魂想问，却没有问。因为他觉得每个人都有权为自己保留些秘密，谁都无权刺探。

他叹了口气，决定先好好地睡一觉再说。

等他睡醒的时候，孙玉伯必已知道韩棠的死讯，必已有所行动。

他希望孙玉伯不要做得太错，错得一败涂地。

但他也知道，每个人都会有做错事的时候。

孙玉伯也不例外。

路很黑。

但叶翔并不在意，这段路他似乎闭着眼睛都能走。他曾经一次又一次踯躅在这条路上，一天又一天地等。

他等的是一个人，一个曾将生命完全燃烧起来的人。

那时他宁可不惜牺牲一切来见这个人，只要能再看这人一眼，他死也甘心。

但现在，他却宁死也不愿再看到这个人。

他觉得自己已不配。

现在，他只希望那个人能好好地活着，为自己活着。

路很黑，因为天上没有星，也没有月。

路的尽头就是孙玉伯的花园。

那也是他所熟悉的，因为他曾经一次又一次地在园外窥探。

他始终没有看见他所希望看到的。

他只看到了自己悲惨的命运。

风中忽然传来马蹄声，在如此静夜中，蹄声听来分外明显。

叶翔停下脚，闪入道路旁黑暗的林木中。

他的反应还不算太迟钝。

来的是三匹马。

马奔很快，在如此黑夜中，谁也看不清马上坐的是什么人。

但叶翔却知道。

马蹄声中，还夹杂着一声声铁器相击时所发出的声音，清脆如铃。

那是铁胆。

只要有陆漫天在的地方，就能听到铁胆相击的声音。

“陆漫天果然来了！”

孙玉伯显然已准备动用全力。

陆漫天做事本来一向光明正大，无论走到哪里都愿意让别人先知道陆漫天来了，可是他今天晚上的行动却显然不同。

他们走的是最偏僻的一条路，选择的时间是无星无月的晚上。

这么样做可能有两种意思：

孙玉伯的召唤很急，所以他不得不连夜赶来。

他们之间的秘密关系还不愿公开，他们要万鹏王认为孙玉伯已孤立无助，这样他们才能找出机会反击。

“因为你若低估了敌人，自己就必定难免有所疏忽。”

他们的反击必定比万鹏王对他们的打击加倍残酷。

三匹马都已远去，叶翔还静静地站在榕树后的黑暗中。

黑暗中往往能使他变得很冷静。

他想将这件事冷静地分析一遍，看看孙玉伯能有几分胜算。

他不能。

他脑筋一片混乱，刚开始去想一件事时，思路就已中断。

他忽然觉得头疼欲裂，忽然双腿弯曲，贴着树干跪下。

现在他已无力思考，只能祈祷。

他全心全意地祈祷上苍，莫要对他喜欢的人加以伤害。

这已是他唯一能做的事。

粗糙的树皮摩擦着他的脸，他眼泪慢慢流下，因为他已无力去帮助他所喜欢的人。

他也不敢。

他走到这条路上来，本是要去见孙玉伯的，可是现在他却只能跪在这里流泪。

铁胆被捏在陆漫天手里，竟没有发出声音，因为他实在捏得太紧。

他指节已因用力而发白，手背上一根根青筋凸起。

桌上摆着盛满波斯葡萄酒的金樽，金樽前坐着看来已显得有些疲倦苍老的孙玉伯。

他本想开怀畅饮，高谈阔论。

但是他已没有这种心情，他心里沉重得像是吊着个铅锤。

曙色已将染白窗纸，屋子里没有别的人，甚至连平日寸步不离老伯左右的律香川都不在。

这表示他们谈的事不但严重，而且机密。

陆漫天忽然道："你能证实韩棠和孙剑都是被十二飞鹏帮害死的？"

老伯点点头，"啵"的一声，他手里拿着的酒杯突然碎裂。

陆漫天又道："你没有找易潜龙？"

老伯道："明后天也许就能赶到，我叫他不必太急，因为……"

他神色看来更疲倦，望着碎裂的酒杯，缓缓接着道："我必须先跟你谈谈。"

陆漫天长长叹了一口气，道："我明白，律香川的事我应该负责。"

老伯疲倦的脸上又露出一丝痛苦之色，道："我一直将他当作自己的儿子，甚至比自己的儿子都信任，但现在我不能不怀疑，因为有些事除了他之外，就好像没有别人能做到。"

你若不得不怀疑一个你所最亲近信赖的人时，那实在是件非常痛苦的事！

陆漫天面上却全无表情，淡淡道："我可以让你对他不再怀疑。"

他语气平淡轻松，所以很少有人能听得出这句话的意思。

老伯嘴角的肌肉却突然抽紧，他明白！

"只有死人永不被怀疑。"

过了很久，老伯才缓缓道："他母亲是你嫡亲的妹妹。"

陆漫天道："我只知道组织里绝不能有任何一个可疑的人存在，正如眼里容不下半粒沙子。"

老伯站起，慢慢地踱着方步。

他心里一有不能解决的烦恼痛苦，就会站起来踱方步。

陆漫天和他本是创业的战友，相处极久，当然知道他这种习惯，也知道他思考时不愿被人打扰，更不愿有人来影响他的决定和判断。

很久很久之后，老伯才停下脚步，问道："你认为他有几分可疑？"

这句话虽问得轻描淡写，但是陆漫天却知道自己绝不能答错一个字。

答错一个字的代价，也许就是几十条人命！

陆漫天也考虑了很久，才缓缓道："七勇士的大祭日，埋伏是由他安排的？"

老伯道："是！"

陆漫天道："所有的人都归他直接指挥？"

老伯道："是。"

陆漫天道："派去找韩棠的人呢？"

老伯道："也由他指挥。"

陆漫天道："首先和万鹏王谈判的也是他？"

老伯道："是。"

陆漫天道："这一战是否是他造成的？"

老伯没有回答。

陆漫天也知道那句话问得并不高明，立刻又问道："他若安排得好些，万鹏王是否就不会这么快发动攻势？"

老伯道："不错，这一战虽已不可避免，但若由我们主动攻击，损失当然不会如此惨重。"

陆漫天突然不说话了。

老伯凝视着他道："我在等着听你的结论。"

对这种事下结论困难而痛苦，但陆漫天已别无选择！

他站起来，垂首望着自己的手，道："他至少有五分可疑。"

这句话已无异宣布了律香川的死刑。

只要一分可疑，就得死！

老伯沉默了很久，忽然用力摇头，大声道："不能，绝不能。"

陆漫天道："什么事不能？"

老伯道："我绝不能要你亲手杀他。"

陆漫天沉吟着，试探道："你想自己动手？"

老伯道："我也不行。"

陆漫天道："能杀得了他的人并不多，易潜龙也许能……"

他忽然冷笑，道："但易潜龙至少已有十五年没有自己动过手，他的手已嫩得像女人的屁股，而且也只能摸女人的屁股。"

老伯笑了笑。

他一向对陆漫天和易潜龙之间的关系觉得好笑，却从来没有设法让他们协调。

一个人若想指挥别人，就得学会利用人与人之间的矛盾。

陆漫天又道："他现在知不知道你已对他有了怀疑？"

老伯道："也许还不知道。"

陆漫天道："那么我们就得赶快下手，若等他有警觉，就更难了。"

老伯又沉吟了很久，才慢慢地摇了摇头，道："现在我还不想动手。"

陆漫天道："为什么？"

老伯道："我还想再试试他。"

陆漫天道："怎么试？"

老伯没有立刻回答这句话。

他重新找个酒杯，为自己倒了酒。这动作表示他情绪已逐渐稳定，对这件事的安排已胸有成竹。

他一口喝下这杯酒，才缓缓道："派去找韩棠的人是冯浩，你应该知道这个人。"

陆漫天道："我知道，他是我第一批从关外带回来的十个人的其中之一。"

老伯点点头，笑笑道："看来这些年你对酒和女人都还有控制，所以你的记性还没有衰退。"

陆漫天端起了面前的酒杯。他并不想喝酒，只不过想用酒杯挡住自己的脸，因为他生怕自己的脸会红。

这些年来他对酒和女人的兴趣不比年轻时减退，得到这两样东西的机会却比年轻时多了几倍。

艰苦奋斗的日子已过去，现在已到了享受的时候。

他已能感觉到自己全身的肌肉日渐松弛，记忆也逐渐衰退，但冯浩这个人却是他很难忘记的。

老伯手上最基本的干部全来自关外，都是他的乡亲子弟！

这些人的能力也许并不强，但忠实却绝无疑问。

冯浩尤其是其中最忠实的一个。

陆漫天干咳了两声，道："难道冯浩现在也已归律香川指挥？"

老伯叹了口气，道："近来我已将很多事都交给他做，他也的确很少令我失望。"

他忽然又笑了笑，接着道："但冯浩到底还是冯浩，他知道韩棠的死讯后，立刻就直接回来报告给我，现在还在外面等着。"

陆漫天沉吟着，道："你的意思是说韩棠的死讯到现在还没有人知道？"

老伯点点头，道："除了我之外，那些杀他的人当然也知道。"

陆漫天道："律香川呢？"

老伯道："他若没有和十二飞鹏帮串通，也绝不可能知道，所以……"

他又倒了杯酒，才接着道："所以我现在就要他去找韩棠。"

陆漫天还没有完全明白老伯的意思，试探着道："到哪里去找？"

老伯道："你知不知道方刚这个人？"

陆漫天道："是不是十二飞鹏帮中的铁鹏？听说他前几天已离开本坛，但行踪很秘密。"

老伯面上露出满意之色，他希望自己的手下每个人都能和陆漫天一样消息灵通。

他替陆漫天倒了杯酒，道："他是三天前由本坛动身的，预定明天歇在杭州的大方客栈，因为那时万鹏王会派人去跟他联络。"

陆漫天道："这消息是否正确？"

老伯笑笑道："七年前我已派人到十二飞鹏帮潜伏，其中有个人已成为方刚的亲信。"

陆漫天露出钦佩之色，老伯永远不会等到要吃梨的时候才种树，他早已撒下种子。每粒种子都随时可能开花结果。

老伯道："我的意思现在你是否已明白？"

陆漫天说道："你要律香川到大方客栈去找韩棠？"

老伯道："不错，律香川若没有和万鹏王串通，既不可能知道韩棠的死讯，也不可能知道方刚的行踪，也一定会去……"

他啜了口酒，又慢慢接着道："但却不是去找韩棠，而是去杀韩棠。"

律香川的表情显得很惊诧，忍不住道："你要我去杀韩棠？"

老伯沉着脸，道："我刚才已说得很清楚，你难道没有听清楚？"

律香川垂下头，不敢再开口。老伯的命令从没有人怀疑过。

过了半晌，老伯的脸色才和缓，道："我要你去杀韩棠，因为我知道他近年对我很不满，认为我已对他冷落，所以就另谋发展。"这解释合情而合理，无论谁都会满意。

律香川动容道："难道他敢到十二飞鹏帮去谋发展？"

老伯道："不错，他已约好要和方铁鹏商谈，他们见面的地方是杭州的大方客栈，时间就在明天晚上。"

律香川道："我是否还能带别人去？"

老伯道："不能，我们的内部已有奸细，这次行动绝不能再让消息走漏。"

律香川不再发问，躬身道："我明白，我立刻就动身。"

老伯的命令既已发出，就必须彻底执行，至于这件事是难是易，他是否能独力完成，那已全不在他考虑之中，老伯就算叫他独力去将泰山移走，他也只有立刻去拿锄头。

陆漫天一直在旁边静静地瞧着，自从律香川走进这屋子，他就一直在留意观察着老伯的表情和动作。

现在他不但对老伯更为佩服，而且更庆幸老伯没有对他怀疑，庆幸自己没做出对不起老伯的事。

无论谁欺骗了老伯，都是在自寻死路。

他只希望律香川没有那么愚笨，这次能提着方铁鹏的人头回来见老伯，才能证明自己忠实。因为律香川毕竟是他的外甥，无论哪个做舅父的人，都不会希望自己的外甥死无葬身之地。

律香川推开门，就看到林秀。

随便什么时候，他只要一开门，都会看到林秀。

林秀是他的妻子，他们成亲已多年，多年来感情始终如一。

他从没有怀疑过妻子的忠实，他无论出门多久，她都从不埋怨。近年来他已很少亲自执行任务，夫妻间相聚的时候更多，情感更密，所以他们的家庭更充满了温暖和幸福。

他们的家庭就在老伯的花园中，因为老伯随时都可能需要他，有时甚至会在三更半夜时将他从他妻子的身边叫走。

对于这一点，林秀也从不埋怨。她对老伯的尊敬和她丈夫一样，虽然老伯以前并不十分赞成他们的婚事，因为她是江南人，老伯却希望律香川的妻子也是他的同乡。

林秀站了起来，以微笑迎接她的丈夫，柔声说道："想不到你这么快就回来，我正在怕今天你又吃不成早点了，今天我替你准备了一只鸡用早点，一只刚好两斤重的鸡，而且是用你最喜欢的吃法做的。"

她说完已转过身去准备，似乎没有看到律香川的表情，微笑着道："我母亲告诉我，早点若是吃得饱，整天的精神都会好。"

律香川呆呆地看着她的腰，似乎没有听见她在说什么。

她的腰虽已不如以前那么标致苗条，但对一个结婚已多年的妇人来说，已经很不错了。

律香川突然走过去，抱住了她的腰。

林秀吃吃地笑，道："快放开，我去看看鸡汤是不是已凉了。"

律香川道："我不要吃鸡，我要吃你。"

林秀心里忽然涌起一阵热意，情不自禁倒在她丈夫怀里，咬着嘴唇道："你至少也得等我先去关好门。"

律香川道："我等不及。"他抱起他的妻子，轻轻放在床上。

在别人眼中看来，律香川是个冷酷而无情的人，只有林秀知道她丈夫是多么热情。

她庆幸他的热情经过多年都未曾减退。

但今天她却忽然发觉他的动作显得有些生硬笨拙，他们的配合一向完美，只有心不在焉的时候他才会如此。

林秀张开眼，就发现他的眼睛是睁开着的，而且果然带着心不在焉的表情。

她的热潮立刻减退，低声问道："今天你是不是又要出门？"

律香川苦笑，她对他实在了解得太深。

林秀的热情虽已消失，心中却更充满感激。

她懂得他的意思，每次出门前，他都要尽力使她欢愉。

她附在他耳畔，柔声道："你不必这样做的，不必勉强自己，我可以等——等你回来——"

律香川轻抚着她光滑的肩，慢慢地从她身上翻下，他虽然没有说什么，但目中的歉疚之意却很明显。

林秀温柔地凝视着他。

她已发觉他心里有所恐惧，这次的任务一定困难而危险。

她虽然同样感到恐惧，却没有问，因为她知道他自己会说。

只有在她面前，他才会说出心里的秘密。

这次她等得比较久，过了很久，律香川才叹了口气，道："你还记不记得杭州大方客栈？"

林秀当然记得。

他们新婚时曾经在大方客栈流连忘返，因为从大方客栈的后门走出去，用不了走很远，就可以看到风光如画的西湖。

律香川道："今天我又要到那里去，去杀一个人，他叫韩棠。"

林秀皱皱眉，道："韩棠？他值得你亲自去动手么？我从未听过这名字。"

律香川道："他并不有名，可怕的人并不一定有名。"

林秀道："他很可怕？"

律香川叹了口气，道："他也许是我们见到的人中，最可怕的一个。"

林秀已发现他提起这个人名字的时候，目中的恐惧之意更深。

她知道他不愿去，她也不愿让他去，但是她并不阻拦。

因为她也知道他非去不可。

过了很久，她才低声道："你能不能喝点鸡汤再走？"

律香川道："不能，我也喝不下。"他已穿上衣服忽然转身出门，他已不忍再看他妻子那种关心的眼色。

这种眼色最容易令男人丧失勇气。

等他走出门，她忽然冲出去，只披件上衣就冲过去道："你能不能在后天赶回来？后天是我的生日。"

律香川没有回答，却突又转身，紧紧拥抱住他的妻子。

他抱得那么紧，就仿佛这已是最后一次的拥抱。

她的心都已被他抱碎了，但却还是勉强忍住，不敢在她丈夫面前流泪。

过了很久，律香川才放开手，忽然道：“对了，莫忘记送两对鸽子去给冯浩，我答应过他的。”

林秀手提着鸽笼，眼泪还未擦干。

鸽子是她最喜欢的宠物，可是她更爱她的丈夫，她虽然不愿将辛苦养成的鸽子送给别人，但她丈夫的话对她来说，比老伯的命令更有效。

冯浩接过鸽子，面上露出衷心感激的微笑，道：“这怎么敢当，夫人何必急着送来。”

林秀勉强笑道：“他临走时交代我的，你知道我这人也很急。”

冯浩道：“临走交代的？莫非公子已出门了么？”

林秀道：“他刚走。”

冯浩皱起眉，喃喃道：“奇怪！公子为什么走得这么匆忙？”

林秀道：“你有事找他？”

冯浩迟疑着道：“我这次是奉公子之命出去找人的。他本该等到听过我回音后再走。”

林秀道：“他要你去找谁？”

冯浩又迟疑了很久，道：“一个姓韩的——”

林秀动容道：“姓韩的？是不是韩棠？”

冯浩道：“夫人也知道他？”

林秀摇摇头，冯浩接着苦笑道：“我去的时候，他已经死了！”

他们的任务本极为机密，但事情既已过去，再说也就无妨。

何况律香川的妻子也不是外人。但冯浩却未想到林秀听了这句话之后，脸色突然惨变，全身都在发抖，就仿佛突然中魔。

冯浩吃惊道：“夫人你怎么样了？”

林秀仿佛已听不见别人说的话，嘴里喃喃自言自语，道：“韩棠既已死了，老伯为什么要叫他去杀韩棠呢？为什么？”

她突然转身奔出，就像是一只突然中箭的野兽般。

冯浩吃惊地望着她，也已怔住，竟没有发现老伯已从花丛中走了过来。现在，正是老伯散步的时候。

老伯看到他手里的鸽笼，微笑道：“今天晚上你想用油淋鸽子下酒？”

冯浩这才回过神来，立刻躬身赔笑，道："这对鸽子吃不得的。"

老伯道："吃不得？为什么？"

冯浩笑道："这是律香川夫人养的信鸽，我若吃了，律夫人说不定会杀了我。"

老伯的瞳孔似已收缩，面上却全无表情，微笑道："我倒还不知道她喜欢养鸽子。"

冯浩道："那也是最近的事，第一对鸽子还是律公子从江北带回来的。"

老伯目中露出深思之色，喃喃道："你看他们夫妇近来的感情怎么样？"

别人夫妻感情是好是坏，局外人本来很难了解。

但老伯问的话却非答复不可。

冯浩道："好得很，简直就像新婚一样。"

老伯道："感情好的夫妻，往往是无话不说的，是么？"

冯浩只能说是。

他没有妻子。

老伯根本也没有注意他的答复，又问道："你看律香川会不会将自己的行踪告诉他的老婆？"

这句话已不再是闲谈家常，冯浩已觉察出自己的答复若稍有疏忽，就可能引起极严重的后果。

他考虑了很久，才缓缓道："我想不会……一定不会的，律公子应该知道我们每个人的行动都绝对机密，绝不能对外人泄露。"

老伯点了点头，目中露出满意之色。他已准备将这场谈话结束。

冯浩忽又笑了笑道："律公子就算说了，也不会说实话的——律夫人还以为他这次出门是要杀韩棠。"

老伯突然全身冰冷。

他已很久未有这种感觉，因为他已很久没有做过错事。

这一错却可能是致命的错误。

老伯已可感觉到掌心的冷汗，嗄声道："她的人呢？"

冯浩道："她走得太匆忙，好像已回去了。"

老伯突然撩起衫袖，纵身掠出，低叱道："跟我来！"

这句话说完，他的人影已不见。

冯浩没有立刻跟去，他似已震惊。就连他这都是第一次看到老伯显露武功，他从未想到世上有任何人能从地上一掠四丈。

这看来就像是奇迹。

世上若真有奇迹出现，那一定就是老伯造成的。

第十章

谁是叛徒

律香川住的地方就像他的衣着一样，整洁、简单、朴素。

他憎恶多余，从不做多余的事，从不要多余的装饰，也从不说多余的话。因为多余就是浪费。只有愚蠢的人才浪费。

愚蠢的人必败亡。

屋子里很静，看不到林秀，只有两个小丫头在屋角缝着衣裳。

她们看到老伯，面上都露出吃惊之色。

老伯就像闪电般进了这屋子，厉声道："你们夫人呢？"

丫头们嘴唇发抖，过了半天才能回答。

"马……马房。"

英雄都爱良驹。

老伯却是例外，他从不将马看成玩物，马只不过是他的工具。

他很少来马房。

但马房里的人并不敢因此而疏忽，所以每匹马都被养得很健壮。

"律香川的老婆来过没有？"

"律夫人刚才选了匹快马，从边门出去了。"

老伯的脸上还是没有任何表情。

老伯突然道："冯浩！"

他虽未回头，却知道冯浩此刻必已赶来随在他身后。

冯浩果然立刻应声，道："在。"

老伯道："追！带她回来！"

冯浩没有再问，人已飞身上马。

马上还未备鞍，他拉着马鬃，箭一般蹿出。

他已明白老伯的意思，老伯说"带她回来"，那意思就是说："无论死活都带她回来！”

一张简单的纸片，上面写着：

林秀，杭州人，独女。

父：林中烟，有弟一人，林中鹤。少林南宗门下，精拳术。嗜赌，有妾。

母：李绮，已故。

陆漫天慢慢地将纸片交回老伯，看着老伯将它插回书箱。

这样的书箱也不知有多少个，陆漫天总觉得，只要是活着的人，老伯这里就有他的记录。

然后老伯又取出张纸片：

林中鹤，父母俱故，有兄一人，林中烟。少林南宗门下，嗜赌，负债累累多达白银三十万两，两年前突然全部还清，替他还债的是十二飞鹏帮金鹏坛主。

陆漫天手里拿着纸片，觉得指尖逐渐发冷，就好像在拿着一块冰。老伯正凝视着他，等着他发表意见。

陆漫天干咳两声，道：“你认为她才是真正的奸细？”

老伯道：“用鸽子来传递机密，比用鸽子来下酒好。”

陆漫天道：“律香川是否知情？”

老伯没有立刻回答，沉默了很久，才缓缓道：“他若也参与其事，就不会让林秀泄露口风了，狡猾贪心的女人，并不一定聪明。”

陆漫天叹了口气，道：“这么样说来，我们倒冤枉了他。”

老伯也叹了口气，道：“我从不知道他竟如此信任女人。”

陆漫天道：“幸好他还能对付方铁鹏。”

老伯道：“不幸的是除了方铁鹏外，必定还有很多人在大方客栈等他，万鹏王也许早已安排好了香饵，等着我送律香川去上钩。”

陆漫天脸色变了变，突然长身而起，道：“我赶去，我们不能让他死。”

老伯道：“这一次我自己去。”

陆漫天变色，失声道：“你自己去？你怎么能亲身涉险？”

老伯道：“每个人都能，我为什么不能？”

陆漫天道：“但万鹏王布下这圈套，要对付的人也许不是律香川，而是你。”

老伯道：“那么就让他们对付我，我正想要他们看看，孙玉伯是不是好对付的！”

林秀身子贴在马鞍上，她的人似已与马化为一体。

这是老伯马房中最快的三匹马其中之一。林秀五六岁时已开始骑马，那时她父亲和叔叔输得还不太厉害，开始的时候，他们甚至还赢过一阵子，所以林秀还可以活得很好。

但以后就不对了。赌博就像是个无底的泥沼，你只要一陷下去，就永远无法自拔。

到后来，他们马房中已不再有马，孩子脸上也不再有笑容。

他们所有的已只剩下债务，愈来愈多的债，压得她父亲背都驼了，但驼背并不影响赌博，反而更适合推牌九、掷骰子。为了一份丰厚的聘礼，林秀就嫁给了律香川。

她从没有后悔这件事。

律香川不但是最好的丈夫，也是最好的朋友、最温柔的情人。

他对她柔情蜜意，使她觉得自己永生也无法报答。

衣袖渐渐潮湿。

她眼泪流下，流在衣袖上。因为她心中忽然有阵恐惧，无法形容的恐惧，仿佛已感觉到某种祸事降临。就在这时，马忽然倒下。

无缘无故地倒下，好像有柄无形的铁锤突然自空中击下。

林秀从马鞍上扑了出去，扑倒在地上，一阵晕眩震荡后，她就感觉到嘴角的咸味，带着一丝腥甜的咸味。

这就是血的滋味。

她挣扎着爬起，立刻忍不住失声惊呼。

她骑的是匹白马，但现在马身已乌黑，从马嘴里流出的血也是乌黑的，身上却看不到伤痕。

毒早已下了，只不过到现在才发作。

是谁下的毒？为什么要毒死这匹马？难道这一切早已在别人预算之中？有人早已算准了她要骑这匹马出奔？

林秀全身冰冷，转身狂奔，刚奔出几步，就撞在一个人身上。

这人的身子硬如铁铸，她倒下。

她倒下后才看清这个人，看清了这人脸上那种恶毒的狞笑。

冯浩在她心目中一向是最诚恳的朋友，最忠诚的部下，她永远想不到冯浩会笑得如此可怕。

现在她已明白，这一切都是个圈套，也已明白是谁下手毒死那匹马的，但她还是不明白冯浩为什么要设计这圈套来害她。

也许女人大多天生就是优秀的戏子，等她站起来的时候，脸上已看不出丝毫惊惧愤怒之色，反而露出了欣慰的笑意，道："看来我运气不错，想不到竟会在这里遇见你！"

冯浩凝视着她，慢慢地摇了摇头，道："你运气并不好。"

林秀叹了口气，道："我的确不该选上这匹马的。"

冯浩道："但那时马房中只有这匹马是配好马鞍的，是不是？"

她目光转向停在道旁的那匹无鞍马，又道："你骑来的也是匹快马。"

冯浩道："只有快马才能追得上快马。"

林秀脸上故意露出惊讶之色，道："你是特地来追我的？"

冯浩点点头。

林秀道："为什么？"

冯浩道："老伯要你回去。"

林秀笑了笑，道："我本来很快就会回去的，这两天我心里很闷，所以想骑马出来兜兜风，你知道我一向都很喜欢骑马。"

她拍了拍身上的尘土，又道："我们怎么回去呢？两个人坐一匹马？"

冯浩道："看来只有如此。"

林秀慢慢地走过去，用眼角瞟着他，带着笑道："我以前倒常跟香川骑一匹马，但却没有跟别人骑马，你难道不怕香川知道会不高兴？"

她忽然从冯浩身旁冲过去道："我看还是让我先骑马回去，你再随后赶来吧！"

这句话还未说完，她已掠上马背，准备反手打马。

她的手突然被抓住。

她的人立刻被人从马背上拉下，重重地跌在地上。

冯浩的出手也远比她想象中快得多。

林秀出声惊呼，道："你……你怎么敢对我如此无礼？"

冯浩冷冷地望着她，冷冷道："我只是不想再做戏了。"

林秀道："做戏？做什么戏？"

冯浩道："你知道我是为什么来的，我也知道你想到哪里去。"

林秀咬着嘴唇，忽然抬头，目中露出怜悯之色，道："那么你为什么不让我去？香川一向对你不错，我只不过想去告诉他，要他莫要做傻事！"

冯浩冷冷道："老伯要他去做的事，绝不会是傻事！"

林秀道："可是……这次却不同，韩棠明明已死了，老伯为什么还要他去杀韩棠？"

冯浩道："我只知道遵守老伯的命令，从不问为什么，这次老伯给我的命令，是要我带你回去！"

林秀目中又有泪流下，道："但你可以回去说，没有追上我。"

冯浩冷冷道："我为什么要这样说？"

林秀道："因为……因为我一定会报答你。"

冯浩道："你要怎么报答我？"

林秀挺起胸，道："随便你，只要你让我去见香川一面，我什么都可以答应你。"

冯浩嘴角忽然露出一丝不怀好意的微笑，斜眼盯着她雪白的脖子和饱胀的胸膛，一字字道："真的什么事都答应？"

林秀的身材虽不如未嫁时窈窕，但却更成熟丰满。

对这点她也一向很自傲，因为她知道自己可以令丈夫满足欢愉，虽然她的丈夫近年来需要已没有以前那么多，但每次还是充满热情。

她自己却比以前更能享受这件事的乐趣，也更懂得如何去享受。

有时她甚至会主动要求，甚至会觉得她丈夫的体力已大不如前。

但她并未埋怨，更未想过要在别的男人身上寻求满足，除了她丈夫外，她这一生绝不让任何别人的手碰到她。

但现在冯浩眼中淫猥的笑意却令她不能不想到这一点。

一个女人若是为救自己的丈夫而牺牲贞操，是不是值得原谅？更重要的是，她丈夫知道后，会不会原谅？

冯浩静静地看着她，似乎在等她的答复。

林秀用力咬着嘴唇，道："我若答应了你，你让我走？"

冯浩点点头。

林秀嘴上的伤口又开始流血，她将血咽下，道："你什么时候要？"

冯浩道："现在。"

林秀用力紧握双拳，慢慢地跟在他身后。

这条路只通向老伯的花园，除了老伯的客人外，平时本少行人。

道旁的林木阴森浓密，冯浩在一棵大树前停下，转过身等着。

林秀慢慢地走过去，面上毫无表情，她决心将这人当作一条狗，任何人都可能被狗咬一口的。

冯浩的呼吸忽然变粗，喘息着道："这里好不好？我保证你以前绝没有尝过这种滋味。"

林秀道："我不是狗。"

冯浩道："慢慢你就会懂得，做狗有时比做人有趣得多。"他喘息着，将她拉到自己的面前。

林秀的身子硬得就像是一段木头，咬着牙，道："你最好快一点，我还急着要赶路。"

冯浩的手已经从她衣襟里伸进去，接触到了她温暖的胸膛。

他手指开始用力，他的手潮湿而发抖。林秀僵硬的身子突然也开始颤抖，抖得胃里的苦水都冲上咽喉。

她本来以为自己可以忍受，现在才知道无论如何也不能。

她的手突然挥出，重重地掴在他脸上。

冯浩被打得怔住。

林秀用力推开他，踉跄向后退，退到另一株树前，双手紧紧抱着自己的胸膛，恨声道："我宁可回去，带我回去见老伯。"

冯浩盯着她，目中渐渐露出了凶光，忽然狞笑道："回去？你以为自己还能回去？"

林秀一怔道："老伯岂非要你来带我回去？"

冯浩冷冷道："老实告诉你，你早已注定哪里都不能去了。"

林秀道："你……你是要杀我？"

冯浩道："你早已注定非死不可。"

林秀道："为什么？"

冯浩道："因为你已注定要做替罪的羔羊。"

林秀全身冰冷，脸却火烫。

她全身的血液都似已冲上头部，道："那你为什么还要我答应你？"

冯浩道："因为我是男人，遇到这种机会，谁都不会错过的。"

林秀突然怒吼着扑过去，想去扼这人的咽喉。她平时连杀鸡都不敢，此刻却想亲手将这人扼死。

只可惜冯浩的出手比她快得多，铁一般的拳头已击中她的鼻梁。

她甚至连疼痛都未感到，人已倒下，过了很久很久，才能模模糊糊地感觉到一阵阵冲击和痛苦。

但这时她已不能感觉到愤怒和羞辱，只是不停在呼唤，呼唤着她的丈夫。

她已不再将任何事放在心上，只希望自己快死，愈快愈好。

但她却还是不能忘记她的丈夫。

只要律香川能知道她对他的挚爱和关切，知道她为他所忍受的痛苦和折磨，她死也瞑目。

律香川能知道么？

律香川面对着一碟还没完全冷透的栗子烧鸡。

他喜欢吃鸡，喜欢吃用冬菇和火腿炖的鸡汤，更喜欢吃栗子烧鸡。

这两样也正是他妻子的拿手菜。每当她发觉他工作上有了困难，心里有了烦恼时，就一定会亲自下厨替他烧一道栗子鸡做晚餐；每当他们晚上互相满足了对方后，第二天的早点就定是火腿炖鸡汤。

多年来，这似乎已成了不变的定律，因为他对这两样菜也似乎永远不会厌弃，虽然她烹调的手艺并不如她自己想象中那么高明，但每次只要有这两种菜摆在桌上，他总是会吃得干干净净。

这原因也许只有自己知道。

就在十年前，他想吃一盘栗子鸡还是件非常困难的事。那时他每天只要能吃饱，已自觉非常幸运。

他很小就已没有父母，一直都是跟着陆漫天长大，但一年中却难得能见到他外舅一面。

他记得陆漫天每次回来时，不是行色匆匆，就是受了很重的伤，他一直不知道陆漫天在外面究竟做了些什么事。

直到他十二三岁时，陆漫天将他送给老伯做书童后，他才渐渐知道他们做的是什么，他自己很快也加入他们这一行。

那并非因为他觉得这一行新奇刺激，而是因为他自信在这一行必能出人头地，他学得很快，而且工作时非常卖命。

他每天都吃得到栗子鸡并不容易，这一段过程中的艰辛痛苦，他从来不愿对任何人说起。

但现在栗子鸡就摆在他面前，他却始终没有动过筷子。这是为什么呢？

是不是因为他心里也有种不祥的预兆？觉得自己的地位开始动摇？觉得危险已迫在眉睫？觉得自己很难再看到妻子？

现在已是黄昏，方刚和韩棠都还没有露面！

他们为什么还没来？难道他们的计划已改变？

难道他们已知道律香川在这里等着？

律香川确信韩棠绝不会再认得他，因为他已用一种波斯药水将自己的脸染成蜡黄色，还巧妙地粘了一撇胡子。

这使他看来至少苍老了二十岁，而且就像久病未愈。

他来的时候这里已有两桌客人，现在又陆续增加了三四桌。

从他坐的地方望出去，进出大方客栈的每个人都绝不可能逃出他眼下。

大门口的灯笼已燃起。

律香川又要了壶酒，他知道自己无论要等多久，都得等下去。

他并不喜欢喝酒，他要酒只因为非要不可，不喝酒的人，绝不可能一个人在这里坐这么久。

他更不愿等人，但也非等不可。

马车轻便而坚固。

拉车的是一流好马，赶车的是一流好手。

车马飞奔在路上，快得令人侧目。

陆漫天斜倚在车厢里，慢慢地嗅着鼻烟，看来仿佛很悠闲，但手里的一双铁胆却不停地叮当直响。

老伯凝视着他，忽然问道：“你在想什么？”

他知道陆漫天将铁胆捏得很快时，就必定是心事重重。

陆漫天只笑了笑，什么都没有说。

又过了半晌，老伯也笑了笑，道：“我知道你在想什么。”

陆漫天道：“哦？”

老伯道：“你是不是又想起了我们以前那段很不好过的日子？”

陆漫天叹了口气点点头。

老伯说得不错，以前那段日子的确不好过。

在那段日子里，他们几乎随时随刻都有生命的危险，他们无论在做什么，暗中都随时可能有一支箭飞来，贯穿他们咽喉。因为他们自己也时常这样对付别人。

老伯的眼睛发着光，又道：“你还记得那次我们到辰州去对付言老大的时候？”

陆漫天当然记得，有很多事，他至死也不会忘记。

言老大是“排教”的老大，几乎完全垄断了长江上下游的木排生意。

木排生意是件好生意，因为无论谁要将木材从长江上游运到下游，都得要言老大先点点头。

无论哪种好生意都一定会令人眼红。

眼红的人虽多，却一直没有人敢动手。

言老大不但是排教的大阿哥，也是辰州言家拳的掌门人。

言家拳就是僵尸拳。

江湖中有关僵尸拳和排教的传说，不但神秘，而且可怕，很多人都相信那并不是武功，而是种很神奇的法术。

没有人愿意用自己的血肉之躯去对抗法术。

老伯却决心要去试一试。

他们先约好言老大在八里外某个地方见面，让言老大确定他们在那里，然后他们就连夜赶到辰州，冲入言家，将言老大赤裸裸地从被窝里拉出来，用四根一尺长的铁钉钉在言家的大门上。

言老大至死只说了一句话，六个字：“你们来得好快！”

快！

快得出人意料，快得令人措手不及，无法抵抗！

这就是老伯行动的秘诀。

快！

这个字说来容易，但陆漫天一生中所见到，真正能做到这个字的人，却只有老伯一个！

只不过那已是多年前的事了，现在他是不是还能那么快？

陆漫天目光显然带着几分忧郁。

老伯却在微笑，微笑着道：“那段日子虽不好过，但现在想起来却很有趣。”

陆漫天忽然道：“你还记不记得我们到汉阳去对付周大胡子的那次？”

那次他们的行动也快。

他们用最快的速度冲入了周大胡子的埋伏。

那次他们去时一共有十三个人，回来时却只剩下两个。

陆漫天回来后在床上躺了整整两个月，才能坐起来吃饭。

老伯缓缓道：“我当然记得，因为自从那次之后，我就决定绝不再犯同样的错误。”

陆漫天道：“这次呢？”

老伯还是在笑，但表面看来已有些僵硬。

第十一章

雷霆一击

律香川不认得方刚，他从来没有见过方刚。

但方刚走进大方客栈的门，律香川立刻认出他来。

方刚，方铁鹏，他这人的确就像是铁打的。

他穿的是身雪白的衣裳，没有被衣裳掩盖的地方每一处都黝黑如铁，在灯下闪闪地发着油光。

他目光锋锐，嘴唇紧闭，走路的姿态奇特，全身都充满了劲力，每当他一步跨出时，整栋房屋都仿佛不能承受他的重量。

除了孙剑外，律香川从未见过如此精悍健壮的人。他一走进来，全屋子的人呼吸都似已停顿。

八个人跟在他身后，不问可知，必定也都是千中选一的壮士。

但大家的眼中却只看到他一个人。只要他在那里，就绝不会再有别人的锋芒。

他坐下，这八个人就站在他身后，他坐着的时候，别人通常都只能站着，世上几乎很少有人敢跟他平起平坐。

律川香暗中却松了口气！

“包子有肉，并不在褶上，生铁虽硬，却容易断。”

律香川想起了孙剑。

他喝酒的时候仰着头，锐利的目光还在不停地四下扫动。

律香川喝酒的时候低着头，仿佛只看到自己手里的酒杯，但第一个看到林中鹤走进来的，却是他。

少林的外家弟子大都筋骨强健，林中鹤也不例外，只不过近年来债已还清，生活日渐优裕，所以肚子已比胸膛宽得多。

他四下打量了两眼，就直接走到方刚面前，躬身行礼。

方刚道：“你姓林？”

林中鹤赔笑道：“在下林中鹤。”

方刚举杯，道：“你也喝酒？”

林中鹤笑道：“还可以喝两杯。”

他搬开椅子坐下，执壶斟酒。

方刚突然挥手，一杯酒泼在他脸上，厉声道：“你是什么东西，也配跟我并坐喝酒？”

林中鹤怔住，一张脸立刻涨得血红。

律香川慢慢地举杯，喝酒，慢慢地喝。方刚也在喝酒，一口就是一大杯，十口就是十大杯。

在杭州城里，他也算得上是个人物，就算背着满身债的时候，也没有受过这么大的侮辱。

方刚喝道：“滚！还不快滚！”

林中鹤突然一拍桌子，跳了起来，怒道：“你可是什么东西？凭什么要我滚？”

他的话还未说完，方刚的拳头已隔着桌子打在他肚子上。

拳头硬如钢铁，肚子却已松弛柔软。林中鹤疼得弯下腰。

方刚已掀起桌子，桌子“砰”地撞上了他的头，一碗热气腾腾的汤恰巧扣在他头上。

跟着方刚来的八个人大笑。

律香川目中却已有了怒意。无论如何，林中鹤总是他妻子的亲叔叔。

方刚冷冷道：“把这人架出去塞在阴沟里，天不亮不要让他走。”

他身后立刻有两个人转出，架起了林中鹤。

林中鹤突然狂吼，用力一挣，他肚子虽已柔软，但两条膀子至少还有三五百斤力气，少林子弟毕竟是有两下子的。架住他的两个人看来虽然也很强悍，但被他用力一挣，就再也抓不住他，其中有一人踉跄外退，几乎跌倒。

林中鹤反手一个肘拳，打在另一人的胸膛上，忽然向律香川冲了过来，扑在桌子上，喘着气道：“走，快走，他们这次来要对付的是你。”

亲戚毕竟是亲戚，他居然认出了律香川。

律香川虽也吃了一惊，面上却不动声色，道："我不认得你。"

林中鹤急得跺脚，道："你用不着瞒我，你一到这里他们就已知道……"

他并没有说完这句话。

被他撞倒的那两人已赶来，一人从后面抓住他衣领，往后面拖，另一人抓起张凳子，往他腰上用力砸了下去。

方刚也已拍案而起，厉声道："先废了他！"

又喝道："姓律的，我们出去斗一斗！"

他嘴里虽然在说"出去"，人却已向律香川猛虎般扑了过来。

这实在是个很惊人的变化，而且快速得令人预料不及。

律香川仿佛也没有准备来应付这种变化，他一直坐在那里，动都没有动。

但是方刚扑过来的时候，他身子突然向桌下滑了进去，宛如游鱼般穿过桌底，他的手已抓住了一个人的足踝。

这人刚把凳子砸在林中鹤腰上，足踝突然被抓住，他足踝开始碎裂的时候，身子已被悬空抡起。

律香川将他抡了过去，右脚反踢，踢在另一人的膝盖上。

这人狂呼一声，双腿跪下，冷汗随着眼泪一起流落，他知道自己今生已很难再站得直。

律香川拉起了倒在地上的林中鹤，沉声道："快走，去找老伯！"

林中鹤咬着牙点点头，转身奔出，但前面已有三个人挡住了他的去路，手里的钢刀亮如匹练。

林中鹤一步步向后退，忽然看到七八道乌光往他肋下穿过，对面的三个人立刻倒下了两个。

他知道律香川的暗器已出手。

方刚大喝道："小心他的暗器。"

他挥拳打退了律香川抡过来的人，反手抄起张凳子，以凳子作盾牌，再次向律香川扑了过来。

律香川站在那里，等着。

他动的时候，准确迅速如毒蝎，不动的时候，看来立刻又变得温文有礼，脸上甚至还带着一丝微笑，看着方刚道："你小子也得小心我的暗器才是。"

方刚怒喝一声，突然冲天跃起。

三道乌光，忽然由地面反弹而出，直射他的下部。

他竟全未看到律香川有任何动作，这三道乌光发出像是自己从地上射出来的，若非他反应迅速，此刻已倒地不起。

律香川微笑道："我关照过你，要你小心的，是吗？"

他变得很从容，因为他知道自己占了先机。

方刚此刻身在空中，简直就像是个飞靶，这么大一个靶子，他确信自己万无打不中的道理。

他已准备了四种不同的暗器，每种三件，这十二件暗器已将在这一刹那间同时射出。

但就在这时，他脸上的微笑突然凝结。

他已感觉到一双手拦腰抱住了他，这双手至少有百斤力气，他知道自己绝对无法摆脱。

只要他稍微留心，就没有人能从他身后拦腰抱住他，没有人能对他暗算。

但此刻他却已变得像是条落入网中的鱼，因为他绝未想到这人会对他暗算——他简直做梦也想不到林中鹤会向他出手。

他身子已被林中鹤揪倒。

方刚凌空一转，落下，落在他身上，一只脚踩着他胸膛，一只脚踩着他肚子，就像是猎人踩着只中了箭的山羊，黝黑的脸上散发着胜利之光，嘴角带着征服者的笑，大笑着道："姓律的，别人都说你足智多谋，但这一招你也想不到吧！"

律香川的眸子似已变成两块乌石，冷冷地看着他，冷冷道："你应该感激我才是。"

方刚道："感激你？"

律香川道："若非我有个好亲戚帮你的忙，你怎能得手！"

方刚大笑，道："不错，你的确有个好亲戚，你娶老婆的时候，本该小心些才是。"

林中鹤喘息着站起来，目中带着一丝羞惭之色，看着律香川，讷讷道："这不能怪我，我是奉命行事。"

律香川淡淡道："我明白，若换了我，或许也会同样做的。"

他忽又道："我只有一样事不懂！"

林中鹤道："什么事？"

律香川道："十二飞鹏帮中至少也有几个人物，你为什么偏偏要选条蠢驴来做伙伴，而且还不惜被他侮辱？"

方刚怒道："你说的是谁？"

律香川道："除了你之外，这里好像并没有第二条驴子。"

方刚俯首瞪着他，目中出现怒火，忽然提起脚，往他胯间踏下。

律香川的身子一阵颤抖，脸上的肌肉，一根根扭曲！可是他咬紧牙，绝不呻吟出声！

方刚厉声道："这一下怎么样？"

律香川看着他，忽然慢慢地笑了，道："你看起来是男人，怎么动起手来却像女人。"

方刚怒吼着跳起，一脚踢向他肋骨。

律香川索性闭起眼睛。

方刚不停地踢，他虽然疼得冷汗直流，但却绝不发出呻吟。

林中鹤转过头，似已不忍再看。

方刚突然停下，突然笑了，道："我明白你的意思了。"

律香川咬着牙，说道："笨驴也会明白人的意思？"

方刚脸色变了变，还是笑道："你是想早点死，是不是？"

律香川牙咬得更紧。

方刚悠然道："你放心，我绝不会这么便宜你，我要让你后悔为什么活着！"

律香川道："你若让我活下去，迟早也会后悔的。"

方刚道："难道你还想等人来救你？"

他冷笑着，接着道："我倒希望有人来救你，无论谁来，我都要让他变成刺猬。"

他迅速地向两旁墙壁瞥了眼，眼角又瞟向他带来的那几个人。

那八个人现在已只剩下四个还能站着，这四人面上全无表情。

律香川的心忽然一跳，他已看出，这四人目中带着种特殊的气质，有这种气质的人绝不会做人的奴仆。

他忽然明白，这四人才是真正难对付的，何况这地方两面墙壁中必定还设有埋伏，都在等着来救他的人。

他只希望老伯莫要来救他。

方刚已在椅上坐下，悠然道："我再等两个时辰让你看看……"

他已不必再等。

突然间，一辆双马拉着的黑车从大门外直闯了进来。

赶车的挥鞭打马，健马怒嘶。

马车已闯入饭厅。

方刚霍然飞身而起，大喝道："来了！"

喝声中，又是"轰"的一响！

两旁的墙壁同时撞破了二三十个大洞，每个洞里露出了只弩匣。

无数只硬弩暴射而出。

赶车的首先怒呼一声，当胸中箭，自车座上跌下。

两匹马也全身浴血，怒嘶着直冲过来，撞上墙，倒下。

车厢倾倒。

方刚一挥手。

又是无数根的硬弩射出，钉在车厢上，突然起火。

火势燃烧极快，眨眼间整个车厢都被燃着。车厢里的人若不出来，眼看着就要随车厢一起被烧成灰烬；若是出来，第三次弩箭立刻就要往他们身上招呼，纵是绝顶高手，也躲不过这种暴雨般的机簧硬弩。

方刚仰面大笑，道："孙玉伯，这次看你还想往哪里逃！"

他笑得并不长。

突然间，两旁墙壁中惨呼不绝，一只只弩匣抛出，接着，人也蹿出。

一蹿出就惨呼着倒下。

律香川这才知道两旁墙壁都是空的，这些人早已埋伏在夹壁中。

但他们为什么突然蹿出来？为什么倒下？

方刚脸色也变了，拉起一个人，只见这人脸已乌黑，嘴角不停地往外淌着鲜血，呼吸却已停止。

再看他身上，却全无伤痕，显然是被人以极重的手法击中，而且一击致命。

夹壁中本来埋伏着四十八个弩箭手，现在已有三十多人倒下，剩下的十余人也已蹿出，高呼着夺门而逃。

方刚提起张桌子往燃烧着的车厢掷过去，车厢立刻被撞碎，里面却空无一人。

他忽然明白，自己竟也中了别人的声东击西之计，变色道："孙玉伯，你既然来了，为什么不敢出来？"

破壁中似乎发出一声冷笑。

方刚冲过去，还是看不到人。

只听一阵"当"声自门外传来，仿佛是铁器相击声。

律香川的心又一跳。

"这是陆漫天的铁胆！"

陆漫天手里捏着铁胆，施施然从大门口走了进来，看他神情的安详，就仿佛是个走进一间自己很熟的饭馆来吃饭的客人。

方刚霍然转身喝道："你是谁？"

陆漫天微笑着摊开手掌，铁胆在火焰中闪闪地发光。

方刚道："陆漫天？"

陆漫天微笑道："你果然是在江湖中混过两天，还认得我。"

方刚道："孙玉伯呢？"

陆漫天道："你想看他？"

方刚道："我早已想见识见识他了。"

陆漫天道："你不怕？"

方刚怒道："怕什么？"

陆漫天悠然地说道："那么，你就不妨回头去看看。"

方刚一惊，转身。一个人静静地站在破壁中，脸上全无表情。

看他的装束，就像是个土头土脑的乡下老人，但神情中却自然流露出一种无法形容的威严。

方刚不由自主后退了几步，道："孙玉伯？"

老伯点点头。

方刚突然倒纵，落在律香川身旁喝道："你想不想要他的命？"

老伯道："想！"

方刚道："想要他命的，就要老实点。"

老伯道："你若敢伤他一根毫发，我就要你的命！"

方刚狞笑道："我为什么不敢！"

他刚想再踢律香川一脚，突然发现老伯已到了他面前。

他这一生中从未看到任何人的行动如此迅速，甚至连想都想不到。老伯冷冷地望着他，道："你敢！"

方刚忽然觉得满嘴发苦，额角上已流下冷汗，又开始往后退。

他仿佛想退到那四个人身旁。

这四人却似已被吓呆了，低着头，噤若寒蝉。

方刚终于退到他们身旁，又喝道："姓孙的，你敢不敢过来，跟我一对一决一死战。"

老伯没有说话，慢慢地走了过去。方才拿凳子猛砸林中鹤，又被律香川抡起，再被方刚打倒的那个人，此刻忽然从地上跃起，指着那四人道："注意他们，他们才是正点子！"

这句话说出来每个人都吃了一惊。

律香川虽已想到方刚带来的这八个人中，必有老伯的眼线，所以老伯才会对方刚的行踪了如指掌。

但这人会是老伯的眼线，却连律香川也未想到。方刚更是大惊失色，怒吼着道："原来你是奸细。"

他身旁站着的四个人突然出手，手中赫然已有兵器在握。

那些兵刃是一双匕首，一双判官笔，一双钢环，一条软鞭。

这四样兵刃不是极短，就是极长；短极险，长极强。

无论长短，都是极难练的外门兵器。

看他们的兵器，就知道他们的武功绝不会在方刚之下。

但他们兵器虽已拔出，却几乎连施用的机会都没有。

老伯的身形突然展动。

长鞭刚挥出，老伯已欺入他怀中，反掌一切。

这人甩鞭，手抚咽喉，倒下。

没有惨呼声。

他的脖子已如面条般软软垂下。

龙虎钢环一震，寒光四射。

突然一枚铁胆飞来，钢环落下，这人抚着脸，而指缝间鲜血向外溢。

也没有惨呼。

他的脸已变得像是个抓烂了的柿子。

这就是老伯和陆漫天的武功。

没有任何的字能形容他们的武功。

只有一个字——

快！

快得不可思议，快得无法招架，快得令人连他们的变化都看不出。陆漫天快，老伯更快。

从头到尾只有一声惨呼。

惨呼声是方刚落入燃烧着的车厢中时发出的，他落下后就再也没有出来，老伯的手一抓住他，他这人已自世上消失。

“你要烧死我，我就烧死你。”

这就是老伯做事的原则。

这就叫：“以牙还牙，以血还血！”

律香川在床上躺了三天，才能走动。

他立刻去见老伯。

他跪下。

律香川第一次向老伯下跪，已是十七年前的事了。这十七年来，他从未跪过第二次。

因为老伯不喜欢别人向他下跪。

老伯认为下跪有失男子汉的尊严，他不愿他的手下失去尊严。

在老伯的面前，只有犯错的人才下跪。

现在老伯拉起了他，目光中流露出慈祥和安慰，柔声道：“你没有错。”

律香川垂下头，道：“我太大意，所以才没有令韩棠伏法。”

老伯笑了笑道：“韩棠已死了。”

律香川面上露出吃惊之色，但却忍耐着，没有发问。

老伯显然也不愿解释，立刻又接着道：“这次你虽受了伤，但我们总算很有收获。”

律香川道：“是。”

老伯道：“现在十二飞鹏已只剩下七个。”

律香川动容道：“那四人难道也是十二飞鹏的坛主？”

老伯点点头。

律香川目中不禁露出钦佩之意，十二飞鹏无一不是武林中的一流高手，但在老伯面前，简直不堪一击。

老伯道：“我们至少已给了万鹏王个教训，从此之后，他只怕也不敢轻举妄动。”

律香川沉默了半晌，才问道：“我们呢？”

老伯站起来，慢慢地踱了个圈子，缓缓道：“我们暂时也不动。”

一次大胜之后，为什么不乘胜追击，反而按兵不动？这不像老伯平日的作风。

律香川虽没有问出来，但面上的怀疑之色却很明显。

老伯道：“因为我们的损失也不轻，现在正是我们养精蓄锐、重新整顿的时候。”

律香川忍不住抬起头，凝注着老伯。他已觉察出老伯的言辞有些吞吐，仿佛隐瞒着什么。

老伯转过头，望着窗外的一株梧桐。

梧桐在秋风中颤抖。

老伯忽然叹了口气，喃喃道：“秋已渐深，冬天已快到了。”

律香川又沉默了很久，终于忍不住问道：“易潜龙没有来？”

老伯慢慢地点了点头，道：“他没有来。”

律香川面上第一次现出恐惧之色，他知道易潜龙在组织中的地位多么重要，易潜龙若有离心，无异大厦中拆卸了一根主要的梁柱。

老伯缓缓道：“我已要你的舅父去问他，为什么不来应召，我相信他一定有很好的理由。”

律香川迟疑着，道：“他若不说呢？”

老伯没有回头，律香川看不到他的脸色，只看到他双拳握紧。

过了很久，他拳头才慢慢地松开，道：“你的伤还没有完全好，这两天在家好好地养伤，不必来见我！”

律香川道："是。"

老伯道："现在你的任务就是好好地保重自己，因为以后我要交给你做的事一定愈来愈多。"

这句话无异说明律香川在组织中的地位以后会更为重要，也无异说明老伯对他的信任也日益加深。

律香川心里充满感激，道："我会自己保重，你老人家……"

老伯忽然回头，笑道："谁说我老了？你看我对付方刚他们的时候，像是个老人么？"

律香川也笑了。

有些老人永远不会老的——他们也许会死，却绝不会老。

老伯就是这种人。

律香川道："我也希望易潜龙有很好的理由，否则……"

老伯道："否则怎么样？"

律香川叹了口气，道："他以前对我不错，我愿意为他安排后事。"

老伯笑了笑，笑容中却带着几分忧郁，过了很久，他才挥挥手，道："你去歇着吧！"

律香川道："是。"

他转过身，还未走过门口，老伯忽然又道："等一等。"

律香川停下脚步。

老伯道："你好像还有件事没有问我？"

律香川垂下头道："我没有事。"

老伯道："你不想知道林秀到哪里去了？"

律香川又沉默了很久，才断然道："我不想知道，无论她到哪里去，一定都有很好的理由。"

老伯望着他的背影，笑容渐渐开朗，道："你终于是个男人了，你果然没有令我失望！"

男人。老伯对一个人最大的称赞就是这两个字。

律香川知道，所以他走出门的时候，嘴角也不禁露出微笑。

他走出去的时候，冯浩在等着。

他们约好了今天晚上喝酒。

用油淋鸽子下酒。

第十二章

春水俪影

地是平的，没有坟墓。老伯看人将一畦菊花移到这里。他亲手埋下第一株。

他知道菊花在这块地上一定开得比别的地方更鲜艳。因为这块地很肥。

菊花种下去的时候，老伯脸上带着笑容，可是他的心却在绞痛。

他唯一的儿子，他最忠实的朋友，就都埋在这块地下，他们的尸体虽然很快就会腐朽，但他们的灵魂却将永久安息。

老伯不愿任何人再来打扰他们，所以他没有让任何人知道他们的埋葬之处。

以后当菊花盛开的时候，一定会有很多人称赞这片鲜艳，但却永远不会有人知道，是什么力量使这片花分外鲜艳的。

永远没有别人，只有老伯自己。只有他自己知道，他已将自己儿子的生命赋予这片土壤。

他希望他儿子的生命能与大地融合。

暮色刚刚降临，种花的人已都走了。

直到这时，老伯的眼泪才流下。

孙剑、韩棠、文虎、文豹、武老刀——还有其他无数忠实的人。

这些人不但是他的部属，也是他的朋友。

他们死了，他才知道自己是多么寂寞，才知道自己渐渐老了。

但除了他自己外，他这种感情绝不会有别人知道，永远没有！

流星划破黑暗的时候，孟星魂正在星空下。

他看到流星闪耀，又看到流星消失。

他问自己："有些人的生命，是不是也和流星一样？"

蝴蝶永远只活在春天里。

春日虽易逝，但却必将再来。

只要你活着，就有春天。

这蝴蝶已死去了，至少已死了三个月，但它翼上的色彩却几乎还像活着时同样鲜艳。

蝴蝶夹在一本李后主的词集里。那双美丽的彩翼虽已被夹得薄如透明，身体的各部位都还完整无缺，所以看起来还栩栩如生，仿佛随时都可能展动双翼，乘风而去。

她翻开这本词集，就看到了这只蝴蝶。那一页恰巧是她最心爱的一首词。

"林花谢了春红，太匆匆……"

花谢了还会再开，春天去了还会再来。

可是这蝴蝶呢？

"林花谢了春红，太匆匆……"

这首词几乎和蝴蝶同样美，足以流传千古，永垂不朽。

可是这填词的人呢？

这填词的人，生命是不是和蝴蝶一样？

若人太多情，是不是就会变得和蝴蝶一样？

多情人总是特别容易被人折磨，多情人的痛苦总是较多。

多情人的生命也总是比较脆弱短促！

"小姐，水已经打好了。"

她的丫头兰兰匆匆走进来。看到她手里的蝴蝶，苹果般的面露出一双笑窝，嫣然道："小姐，你看这蝴蝶美不美？"

她抬起头道："这蝴蝶是你捉来的？"

兰兰道："嗯，我捉了很久，好不容易才捉到，幸好没有把它的翅膀弄断。"

她轻轻叹了口气，道："你虽然没有弄断它的翅膀，却弄死了它。你心里不难受？"

兰兰笑道："蝴蝶反正很快就会死的。"

她打断了她的话，道："人也反正很快就会死的，是不是？"

兰兰道："可是……可是……"

她皱了皱眉，道："可是怎么样？蝴蝶有没有伤害过你？"

兰兰道："没有。"

她又道："蝴蝶有没有伤害过任何东西？"

兰兰道："没有。"

她又叹了口气道："那你为什么要伤害它？"

她总是不懂，人为什么要对蝴蝶这么残忍？

人捕杀野兽，是为了野兽伤人。

人奴役牛马，烹杀牛羊，是因为这些家畜是人养育的。

可是，蝴蝶——它那么善良，那么无辜，它为了人间的美丽而传播花粉，却没有想要人对它报答。

人为什么还是偏要对它这么残忍？

兰兰咬着嘴唇，想了想，才低着头道："我去捉它，只不过是因为它很美，很好看……"

"美"难道也是种罪恶？

为什么愈美丽的生命愈容易受到伤害？

兰兰又道："我其实并不想伤害它。"

她叹息着道："你虽然不想伤害它，但它已死在你手上。"

兰兰嘟起嘴，道："但现在它还是和活着时同样美丽。我若没有去捉它，它现在也许已经死在阴沟里，也许已被吃进了蜘蛛的肚子。"

她怔住，说不出话。

她不能不承认兰兰的话也有道理。

这蝴蝶虽已死了，但它的美丽已被保存，已被人欣赏。

它的生命已有了价值。

蝴蝶如此，人也一样。

一个人是死是活并不重要，重要的是，他的生命是否已有价值？

"死有轻于鸿毛，也有重如泰山"，岂非也正是这意思？

兰兰道："小姐，水已快凉了，你快去洗吧！晚上你不是还要出去吗？"

她点点头，轻轻地将蝴蝶又夹回书里。

填词的人虽已死了，但这些词句却已不朽，所以他的人也不朽。

他虽已死了，但却远比很多活着的人还有价值。

他死又何妨？

水并没有凉，但夜色已笼罩大地。

约会的时间已过了。

她并不着急，还是懒懒地躺在温水里。她知道约她的人一定会等。

何况，他等不等都没有关系。

虽然他很年轻、很英俊，尤其穿着那件大红斗篷的时候，更如临风玉树，足以令很多少女心醉。虽然他对她体贴入微，千依百顺，将她当作女王，甚至当作仙子，不惜用尽一切方法讨好她。

可是她对他并不在乎。

她无论对任何人都不在乎，无论对任何事都不在乎。

有时她自己想想，都觉得自己很可怕。

也许就因为她对他全不在乎，所以他才对她这样死心塌地吧！

她若真的爱上了他，嫁给了他，他也许就会变得不在乎了。

人，本就是这种如此奇怪的动物。对他们已得到的东西，总不知道多加珍惜，等到失去时，又往往要悔恨痛苦。

人，为什么总喜欢折磨自己？

她现在很少去想这种事，也许因为她对人生已看得太透彻，所以她无论对什么事都觉得很厌倦。

她还年轻，本不该对人生看得如此透彻，本不该如此厌倦。

包围着她的那些人，很多人年纪都比她大，可是他们无论对什么都觉得很有兴趣，一点点小事也会让他们笑个不停。

有时候她简直觉得他们太幼稚，太无聊。

望着清澈的水波，她忽然想到那天坐在溪水旁的那年轻人。

那眼睛里充满了忧郁和痛苦的年轻人。

他还年轻，可是他对人生却似已比她更厌倦。

为什么？

她轻轻叹了口气，喃喃道：“也许我应该让他死的。因为我并不能给他快乐……”

兰兰垂首走进来，递来了一方干净的丝巾，赔笑道：“小姐脸洗好了吧！花公子一定等得快急疯了。”

她淡淡道："让他等，让他疯。"

兰兰眨眨眼，道："小姐你难道一点也不喜欢他？"

她摇摇头。

兰兰道："那么小姐最近为什么总是跟他一起出去玩呢？"

她凝视着水波，缓缓道："也许只因为没有人来约我。"

花公子穿着大红的斗篷，站在树下。

一弯新月挂上树梢。

"夜已深了，她为什么还不来？"

花公子的确已等得快急疯了，恨不得立刻冲到她家里去问她。

可是他不敢。

他不敢做任何一件可能让她不高兴的事。

有时他也会替自己生气，气得要命，觉得自己本是好好的一个人，为什么要被她如此欺负。

他甚至诅过很多次咒，诅咒以后绝不再去找她。

可是他不能。

他的人就像是被一根看不到的绳子绑住，拉着他去找她。

只要一看到她，心里立刻充满柔情蜜意，怒气早已不见了。黑暗中忽然走出来了一条人影。

花公子的心一跳："她来了！"

不是。

这人的脚步踉跄，看来是个醉汉，头上戴的帽子也歪下来了，遮住了大半个脸。远远就嗅到有一阵阵酒气了。

花公子皱皱眉。

他自己没有喝酒的时候，总是很讨厌喝醉了的人。他自己喝醉了的时候，却认为自己豪爽而可爱。

他希望这醉汉快点走过去，这醉汉却偏偏向他走了过来，忽然道："你在等人？"

花公子昂起头，根本不屑理睬。

醉汉喃喃道："我也等过人，但要等值得的人，我才等，你的呢？"

花公子冷冷道："你管不着。"

醉汉笑笑道："我当然管不着，但你等的若是个婊子，那就太冤枉了。"

花公子一把揪住他的衣襟怒道："你说什么？"

醉汉道："你等的难道不是婊子？难道还会是个皇后？"

花公子道："是又怎样？"

醉汉又笑笑，道："她也许是你的皇后，却是我的婊子。"

花公子大怒挥拳，拳头还未打上他的脸，忽然发觉这醉汉一双眼睛锐利如刀，完全没有半分醉意。

醉汉冷冷地瞧着他，锐利的眼睛中似乎还带着几分嘲弄之意。

花公子的心一跳，道："你莫非知道我等的是谁？"

醉汉道："你等的是小蝶，是不是？"

花公子动容道："你认得她？"

醉汉点点头，道："我怎会不认得？她就是你的皇后，也就是我的婊子。"

花公子的怒气再也不能忍，拳头再次挥出，刚刚触及这醉汉的时候，突然觉得胃部一阵剧痛，仿佛有根尖针直刺进去。

他痛得弯下腰，醉汉的膝盖已撞上他的脸。他只觉眼前冒出一片金星，仰面倒下，鼻子里流出的血比身上的斗篷更红。

醉汉垂头望着他，喃喃道："奇怪，这人的鼻子虽已歪了，却还是不太难看。"花公子喘息着，想跃起。

但醉汉的脚已飞来。他只觉腰上一阵刺骨的酸痛，面目五官都似已变形，嘴里满是破裂的牙齿。

醉汉慢慢地点了点头，道："这样才好些了，但我还可以让你变得更好些。"

花公子已不再愤怒，只有恐惧，颤声道："你……你为什么要对付我？"

醉汉淡淡道："因为她是我的婊子，我一个人的婊子，不是你的。"

小蝶站在那里，面对黑暗。她身上穿的红斗篷在黑暗中看来，已变为暗紫色，一种鲜血凝结时的暗紫色。

地面上一片狼藉，现在她不再呕吐。

现在她甚至已能不再恐惧，不再愤怒，但却不能不思想，所以就不能不悲哀！

“他还是个孩子，他做错了什么？”

一个健康少年，爱上了一个美丽的女孩子，谁也不能说他错。

可是现在他却像条野狗般被人吊在树上——一条已被人用乱棒打死了的野狗。

他做错了什么？他唯一做错的事就是爱上了一个不该爱，也不能爱的人。

“我早就应该告诉他，我不是他的对象，我早就应该知道会有这样的后果的。”

小蝶闭起眼睛，忽然想起多年前的事。

那时候她也许是个孩子，也许已由孩子长成女人，对生命和爱情还都充满了美丽的憧憬。

那时正是春天，花已盛开。她的人就像花一样，被春风吹得又鲜艳，又芬芳。

盛开的花畔一定有蝴蝶留恋。

花一般的女孩子呢？

她忽然发觉有一个少年人在注意着她，她随时随地都可以感觉到他那双明亮的眼睛在凝注着她。

这少年也许在沉默，也许在害羞，可是他那双眼睛里，却蕴含着火一般的热情，足以胜过千言万语。

她也很喜欢这少年，很愿意接近他。

只要给他们机会，他们一定会由相识而相爱。

只可惜他们没有机会。

他们刚相识，他就忽然失踪，从此之后，她再也没有看到他。

她本来很奇怪，猜不透他为什么突然避不见面，过了很久之后，她才渐渐明白，无论谁爱上了她，都很快就会“失踪”的。

她当然也已知道那是谁做的事。

这人已将她占为己有，绝不许任何别的人再沾她一根手指。

开始时她不但惊惶而愤怒，愤怒得几乎忍不住要杀了这个人。

她不能。

她没有那种力量，而且也没有那种勇气。

他占有她时，她竟完全不能反抗。

从此她只有忍受，忍受……忍受到快要疯的时候，她就会不顾一切，去找别的男人，别的男孩子。

她只能带给别人不幸。

每次的结果都是一样——和现在这结果一样。

花公子的命运虽然悲惨，可是她的命运更悲惨十倍。

花公子虽然无辜，她又何尝不是无辜的？

她什么也没有错。

唯一错了的是，有个不是人的人爱上了她，纠缠着她。

她非但无法反抗，连逃都逃不了。

小蝶慢慢地向前走，走向黑暗。

她没有再回头去看一眼，可是她眼泪已开始流下。

也许她的眼泪并不是为别人而流的，而是为自己。

她并没有往回走，她不想回家，因为她知道那人现在一定在等着她，伸开了双手在等着她。

那双杀人的手现在必已洗得很干净，但是手上的血腥却是永远洗不掉的。

每当这双手拥抱她、抚摸她的时候，她都恨不得去死。

她不能死。

她有原因不能死。

只有一个原因，一个任何女人都不能接受的原因。

所以她就不能不忍受，忍受他的抚摸、他的拥抱，忍受他那满带着酒臭的嘴在她脸上摩擦。

这也是最令她痛恨的。

他只有在喝得醺醺大醉时才会去找她，只有在需要她时才去找她。

他找她好像只是为了一件事，一件令她作呕的事。

她从没有在其中找到丝毫乐趣。她只不过是他发泄的工具。

她非但不敢拒绝，甚至不敢露出一丝厌恶的表情，因为他随时随刻都不会忘记提醒她。

"你若不爱我，若敢离开我，我就要你死！"

小蝶已走了很久，但前面还是和她走来的地方同样黑暗。

甚至更黑暗些。

她不知道，自己应该走到哪里去，能走到哪里去。

这世上仿佛根本就没有一个她可以逃避的地方，而她虽然明知如此，却还是不愿意回去。

一想起那双手，她就几乎忍不住要呕吐。

前面有流水声。

她茫然走过去。

静静的河水在夜色中看来如一条灰白的绞索，无情地扼断了大地的静寂。

她坐下。

她看着淡淡的烟雾从河水上升起，看来那么温柔，那么美丽。

但是雾很快就会消失。

"我只要纵身一跃，跃入雾里，我的烦恼和痛苦岂非也很快地就会随着这烟雾消失？"

她忽然有了行动，几乎想不顾一切跳下去。

就在这时，她仿佛听到一个人的声音。

"你是不是想死？"

声音缥缈而遥远，就仿佛是黑夜中的幽灵在探问她的秘密。

她不由自主地点头。

这声音又在问："你活过吗？"

她猝然回头，就看到了那双眼睛。

同样明亮的眼睛，同样在冷漠中蕴含着火一般的热情。

在这一刹那间，她几乎要将他当作多年前那沉默的少年人——那突然失踪了的少年人。

只不过他仿佛更年轻、更忧郁，此刻冷峭的嘴角却带着丝淡淡的笑意，仿佛在对她说：

"这句话是你问过我的，你还记不记得？"

她当然记得，有种人你只要见过一面就很难忘记。

孟星魂就是这种人。

小蝶也凝视着他，道："你没有死？"

孟星魂嘴角的笑纹更深，道："一个人若连活都没有活过，怎么能死？"

小蝶忽然发觉自己脸上也有一丝笑容升起，道："你什么时候来的？"

孟星魂道："该来的时候就来了。"

小蝶道："该来的时候？"

孟星魂道："我总觉得好像欠你一点什么，所以……"

小蝶道："你认为我救过你，所以也该救我一次，是不是？"

孟星魂笑了笑，道："老实说，我从未想到你这样的人也有想死的时候。"

小蝶垂下头，又抬起头道："你一向都是这么说话的么？"

孟星魂道："我只说真话。"

小蝶道："真话有时是很伤人的。"

孟星魂道："谎话也许会不伤人，但却伤人的心。"

小蝶凝视着他，眸子更亮，道："那么我问你，那天我若不来，你是不是真的会死？"

孟星魂沉默着，缓缓道："我只想死……想不想死和我会不会死是两回事。"

小蝶道："两回事？"

孟星魂道："很多人，都想死，很多人，都没有死。"

小蝶笑了，道："所以我并没有救你，你也没有救我。"

孟星魂道："真正要死的人，本就是谁都救不了的。"

小蝶慢慢地点了点头，道："所以你不欠我，我也不欠你的。"

孟星魂道："我欠你。"

小蝶道："欠我什么？"

孟星魂的眸子里似已有雾，凝注着她，一字字道："我现在已不想死。"

小蝶又笑了，道："这么样说，我也欠你。"

孟星魂道："欠我什么？"

小蝶道："我想不到今天晚上能笑得出。"

孟星魂道：“你喜欢笑？”

小蝶道：“喜不喜欢笑，和笑不笑得出也是两回事。”

孟星魂道：“你看到我才笑的？”

小蝶道：“嗯。”

孟星魂道：“你认为我这人很滑稽？”

小蝶道：“不是滑稽，是有趣。”

孟星魂道：“那么，你为什么不陪我喝两杯酒去？”

小蝶眨眨眼道：“谁说我不去？”

酒不好。

如此深夜，已找不到好酒。

酒不好并没有关系，有些人要喝的并不是酒，而是这种喝酒的情趣。

孟星魂举杯道：“我不喜欢敬别人的酒。”

小蝶道：“我也不喜欢别人敬我的酒。”

孟星魂道：“但是，我更不喜欢别人比我酒喝得少。”

小蝶笑笑道：“喝酒的人都有这种毛病，总希望别人先醉……就算他自己想喝醉，也希望别人先醉。”

孟星魂说道：“你对喝酒的人，好像了解得很多。”

小蝶道：“因为我也是其中之一。”

孟星魂微笑道：“看来你也不喜欢说谎。”

小蝶微笑道：“那只因为我对你没有说谎的必要。”

孟星魂道：“若是有必要呢？”

小蝶慢慢举起酒杯，望着杯中的酒，缓缓道：“有必要时，我时常说谎，而且说出来的谎话有时连我自己都不信。”

孟星魂道：“要怎样才算有必要呢？”

小蝶道：“那样的情形很多。”

孟星魂道：“譬如说……”

小蝶道：“譬如说，你若看上了我，已让我知道你在喜欢我……”

她笑了笑，将杯中酒一饮而尽，道：“那当然不可能。”

孟星魂也慢慢地举起酒杯，却没有望着杯中的酒。

他的眼睛在杯沿上凝注着她，缓缓道：“为什么不可能？”

小蝶道："因为……我们彼此根本不了解，甚至可以说不认识。"

孟星魂道："但，我们现在已经认识了，何况……"

他很快喝完了这杯酒，又添了一杯再喝下去，才接道："了不了解是一回事，喜不喜欢又是另一回事，我相信了解你的人一定不会多，喜欢你的人一定不会少。"

小蝶微笑道："你这是在恭维我，还是在讽刺我？"

孟星魂也笑了，道："我只不过说出了我心里想说的话。"

小蝶道："你常常在别人面前说出你心里想说的话？"

孟星魂道："我从不说……"

小蝶道："可是今天你……"

孟星魂道："今天是例外，对你是例外。"

小蝶道："为什么？"

孟星魂沉默了很久，突然长叹了口气，道："我也不知道。"

小蝶也沉默了。

她忽然发现自己心里也有同样的感觉，觉得在这人面前可以说出自己的心事，觉得在这人面前可以无拘无束。

为什么呢？

她自己也不知道。

她只笑了笑，道："你的毛病是话说得太多，酒喝得太少。"

孟星魂道："我在等你。"

小蝶道："等我？"

孟星魂道："你已经比我少喝了两杯了。"

小蝶道："你要我喝得跟你一样？"

孟星魂道："嗯。"

小蝶道："你想灌醉我？"

孟星魂道："的确有这意思。"

小蝶笑道："那么我警告你，要灌醉我并不容易。"

孟星魂道："就因为不容易，所以才有趣，愈不容易愈有趣。"

孟星魂很喜欢韩棠住的这木屋，这也许因为他和韩棠也有些相似之处。

这木屋并不舒服，却很幽静。

韩棠死后，这木屋就没有人来过，因为韩棠的价值，就在于他自己的那双手，他死了之后，所有属于他的一切立刻都变得全无价值。

孟星魂已将这木屋看成自己的。

他们喝酒的地方就在木屋外，现在星已渐疏，夜已更深。

坛子里的酒却已浅了。

孟星魂道："我忽然发现跟你在一起，不但话说得特别多，酒也喝得特别多。"

小蝶道："一个人只有跟老朋友在一起的时候，才会这样的，是不是？"

孟星魂道："是。"

小蝶道："但我们并不是老朋友。"

孟星魂道："我们不是。"

小蝶看了看，眸子更亮，比天上最后的一颗星还亮。

孟星魂忽又笑道："听说你酒喝得愈多，眼睛愈亮，是不是？"

小蝶吃吃地笑道："你对我还知道多少？"

孟星魂道："我知道你酒量很好，知道别人都叫你小蝶。"

小蝶道："还有呢？"

孟星魂道："没有了。"

小蝶道："我却连你叫什么都不知道。"

孟星魂道："我姓孟……"

小蝶打断了他的话，道："我并不想知道你的名字，因为我们之间根本没有任何关系，以前没有，以后更不会有。"

孟星魂忽然觉得自己的心在往下沉，忍不住问道："为什么？"

小蝶道："因为我不高兴。"

她忽然站起来，往外走。

孟星魂道："你要走？"

小蝶道："我早就该走了。"

孟星魂道："我送你。"

小蝶道："不必，不必，不必……"

她没有再看孟星魂一眼，接着又道："我自己有腿，我的腿并没有断。"

孟星魂道："以后……"

小蝶道："以后？我们没有以后，以后你还是不认识我，我也不认识你。"

这人就像是忽然变了。在一刹那间就变了，变得既冷酷，又残忍。

谁也猜不透她怎会变的，女人的心事本就没有人能了解。

孟星魂的心仿佛有些刺痛，就仿佛有根针刺入了他左面的胸膛里。

他没有再说话，他静静地看着她走。他不喜欢去勉强别人，尤其不喜欢勉强女人。

谁知小蝶忽又回过头，道："你就这样让我走？"

孟星魂道："我还能怎么？"

小蝶道："你不想留住我？"

她眼波忽然蒙眬，又道："若是别人，一定会想尽法子留下我。"

孟星魂道："我不是别人，我就是我。"

小蝶瞪着他，又吃吃笑道："你这人真有趣，真有趣……"

她忽然又走回来，拿起酒杯，看了看，酒杯是空的。

她就提起酒坛，对着嘴往下灌。

孟星魂道："你已经有点醉了。"

小蝶抹着嘴角的酒痕，吃吃地笑道："你不喜欢我醉？——男人都喜欢女人喝醉，女人喝醉了时，男人才有机会占便宜。"

"砰"地，她手里的酒坛跌了下去，跌成粉碎。

她忽然坐到地上，放声大哭，道："我不要回去，就不要回去……"

小蝶没有回去。

她清醒的时候，发现自己睡在一张既冷又硬的小床上。

她身上的衣服还和昨夜同样完整，连鞋子都还穿在脚上。

那姓孟的少年人就坐在对面，像是一直都坐在那里，连动都没有动。

小蝶感激地看了他一眼，微笑中带着歉意，道："昨天晚上我是不是喝醉了？"

孟星魂微笑道："每个人都有喝醉的时候。"

小蝶的脸红了红，道：“我平常本不会那么快就喝醉的。”

孟星魂道：“我知道你昨天心情不好。”

小蝶道：“你知道？”

孟星魂道：“心情好的人，绝不会一个人跑到河边去想死。”

小蝶垂下头，过了很久，才问道：“我喝醉了后，说了些什么话？”

孟星魂道：“你说你不想回去。”

小蝶道：“然后呢？”

孟星魂道：“然后你就没有回去。”

小蝶道：“我……我没有说别的？”

孟星魂道：“你以为自己会说什么？”

小蝶没有回答，忽然站起来，拢着头发，笑道：“现在我真的该回去了。”

孟星魂道：“我知道。”

小蝶道：“你……你用不着送我。”

孟星魂道：“我知道。”

小蝶忽然抬起头：“你为什么一直瞪着我？”

孟星魂道：“因为我怕。”

小蝶道：“怕？怕什么？”

孟星魂道：“怕以后再也看不到你！”

小蝶的心忽然一阵颤抖，就像是一根被春风吹动了的含羞草，她忍不住去看看他，她看得出他眸子里充满了痛苦。

孟星魂慢慢地接着又道：“我希望以后还能够去找你。”

小蝶大声道：“不行。”

她声音大得连自己都吓了一跳，所以停了停，才接着道：“你若去找我，一定会后悔的。”

孟星魂道：“后悔？”

小蝶道：“我对你不会有好处，我对任何人都没有好处，无论谁遇到我都会倒霉的。”

孟星魂道：“那是我的事，我只问你……”

他深深地凝注着她，一字字道：“我只问你，你愿不愿意我再去找你？”

小蝶道：“你绝不能去找我。”

她低下头，发现自己的心已开始软化，她轻轻地接着道：“但我以后却说不定会来找你。”

小蝶走了。

孟星魂还是动也不动地坐在那里。

他心里有痛苦，有甜蜜，有失望，也有温馨。

他已觉察到她心里一定有很多秘密，是不能对他说出来的。他自己又何尝没有一些不能对人说出的秘密。

也许就因为他们彼此间相似的实在太多了，所以才会痛苦。

因为一个人若是动了情感，就有痛苦。因为那句话——“我以后说不定还会来找你。”

她真的会来么？

孟星魂长叹了口气，站起来，又倒在床上。

他有很多事要做，但现在他什么都不想做。

枕头上还留着她的发香，他将自己的脸埋到枕头里。

他已下定决心。

她若不来，他就将她忘记。

他虽然已下定决心，却不知自己能否做到。

“她呢？她要忘记我一定很容易。”

枕头是冰冷的，但却还是很香，他真想将这枕头用力丢出去。

突然，门开了。

他听到开门的声音，抬起头，就又看到了她。

她站在那里，容光焕发，脸上再也找不出一丝昨夜的醉意，看来那么新鲜而美丽，就像是一朵刚开放的鲜花。

孟星魂欢喜得几乎忍不住要跳起来。

他这一生从未如此欢喜过。

小蝶背负着手，笑得比花更灿烂，望着他笑道：“你猜我带了什么东西来？”

孟星魂故意摇摇头。

小蝶道："我忽然想到既然吃了你一顿，至少也该还请你一次，是不是？"

她扬起手，手里握着的是满袋食物。

她笑着道："你饿不饿？"

孟星魂终于忍不住跳起来，笑道："我饿得简直可以吞下一匹马。"

他们奔入树林。

树林深处，绿草如茵，秋风仿佛还未吹到这里，风中充满了草木的香气。

他们跑着，笑着，就像是两个孩子。

然后他们在浓荫下的草地上躺倒，静静地呼吸着这香气。

也不知过了多久，小蝶才轻轻地叹息了一声道："我已有很久没有这样躺在草地上了，你呢？"

孟星魂道："我常常躺在地上，但今天却觉得有点不同。"

小蝶道："什么不同？"

孟星魂道："今天的草好像特别柔软。"

小蝶笑了，笑得那么温柔，道："原来你也很会说话，说得真好听。"

孟星魂道："真话有时也很好听的，有时甚至比谎话还好听。"

小蝶咬着嘴唇，过了很久，忽然道："你有没有想过？"

孟星魂道："想过什么？"

小蝶道："想过我是不是会再来找你！"

孟星魂道："我想过。"

小蝶道："你以为我不会再来了，是不是？"

孟星魂道："我的确是没有想到，你来得这么快。"

小蝶道："你知不知我为什么这么快就又来了？"

孟星魂道："我不知道，我只知道你走了之后，我忽然觉得很寂寞。"

小蝶不再说话，是不是因为孟星魂已替她说出了心事？寂寞，多么可怕的寂寞。

只有经常忍受寂寞的人，才知道突然感觉到不再寂寞是多么幸福，多么快乐。

只可惜这种快乐太难得。

有时纵然有成群人围绕着你，你还是会觉得寂寞无法忍受。孟星魂缓缓道：“也许我们还不是朋友，但也不知为了什么，我只有跟你在一起的时候，才会觉得不再寂寞。”

小蝶的眼睛已渐渐湿润，几乎忍不住要说：“我也一样。”

她没有说。

她毕竟是个女人，女人总不大愿意说出自己心里的话。

她忽然跳起来，笑道：“无论如何，我既已来了，你就该好好地陪我玩一天。”

孟星魂道：“我陪你——无论你想做什么，我都陪你！”

小蝶眨眨眼说道：“我们去掘宝，好不好？”

孟星魂道：“掘宝？”

小蝶道：“我知道这树林里有个地方，埋着宝藏。”

孟星魂笑了道：“这树林里不但有宝藏，还有神仙，几百个大大小小的神仙，有的还喜欢把人变成驴子，你可得小心。”

小蝶道：“我说的话你不信？”

孟星魂笑道：“我说的话你信不信？”

小蝶跺跺脚，道：“你不信，我带你去找，找到了，看你还信不信！”

孟星魂只笑。

小蝶忽然长长地吸了一口气道：“我闻到了。”

孟星魂道：“闻到了什么？”

小蝶道：“宝藏的味道。”

孟星魂道：“哦？在哪里？”

小蝶道：“宝藏就在这里，就在你睡的地方下面。”

孟星魂忍不住站起来道：“这下面有宝藏？”

小蝶道：“你还是不信？”

孟星魂嘿嘿地笑。

小蝶道：“我若掘出来了呢？”

孟星魂道：“你若掘得出来，你就去找个神仙来把我变成驴子。”

小蝶道："好，男子汉大丈夫，说出来的话可不能不算数的。"

她立刻找了根比较硬的树枝来开始挖。孟星魂也帮着挖。

还没有挖多久，他的树枝就碰到了一样硬的东西，仿佛是个箱子。小蝶眼角瞟着他，吃吃笑道："看来有个人要变成驴子了。"

孟星魂怔了半晌，忽然大笑。

地下埋着的宝藏已挖了出来，是坛酒。

孟星魂大笑道："我上当了，这坛酒一定是你刚才埋下去的。"

小蝶道："那不管，我只问你，这算不算是宝藏？"

孟星魂笑道："当然算，我简直想不出天下还有什么比这更好的宝藏。"

小蝶悠然道："宝藏已有了，驴子呢？"

孟星魂道："驴子就在你的面前，你难道没有看见？"

小蝶笑得弯了腰，道："这驴子好像只有两条腿。"

孟星魂正色道："两条腿的驴子，比四条腿的好。"

小蝶道："哪里好？"

孟星魂道："两条腿的驴子能喝酒。"

小蝶的眼睛又亮了起来，那就是说，坛子里的酒又快空了。

风中不再有草木的香气，只有酒气。

一个人的肚子里若已装了半坛酒，除了酒气外，他还能闻到什么别的？

小蝶伏在草地上，已有很久没有说话，她的鼻子也没有平时灵敏，但脑子里却想得更多，更复杂。

有很多平时不愿意、不敢想的事，现在却完全想了起来。

是谁说酒能浇愁的？

孟星魂也没有说话。他什么都没有想，他只是静静地享受着这份沉默的乐趣，机智的言语虽能令人欢愉，但一个人若不懂得享受沉默，他就不能算是个真正会说话的人。

因为真正令人欢愉的言语，只有那些能领悟沉默意义的人才能说出来。

他以为小蝶也在享受着这份沉默的乐趣。

人与人之间不可能真正互相了解，更莫要以为你能了解女人，否则你必将追悔莫及。

星又疏，夜又深。

小蝶忽然翻身坐起，喃喃道："我要回去了。"

她这句话说得实在太快了，快得就好像根本不愿被人听见。

也许因为这句话本不是她自己真心愿意说的。

孟星魂只听见一个"我"字，忍不住问道："你要怎样？"

小蝶忽然瞪起眼睛，道："你故意假装听不见我的话是不是？"

孟星魂笑道："我为什么要假装听不见？"

小蝶叫了起来，道："我说我要回去。"

声音大得又让她自己吓了一跳，她吸了口气，才接道："这次你听见了吗？"

孟星魂怔了半晌，道："我听见了！"

小蝶道："你有什么话说？"

孟星魂道："我……我没有话说。"

小蝶道："你不问我为什么忽然要回去？"

孟星魂道："你当然有很好的理由，是不是？"

小蝶道："当然，可是……可是你为什么不想法子留住我？"

孟星魂道："我留得住么？"

小蝶道："当然留不住，你凭什么资格留住我？"

孟星魂道："我并没有要留住你！"

小蝶瞪着眼发了半天呆，才点着头道："对，你并没有要留下我的意思，我为什么还不走呢？我为什么要如此不知趣？"

孟星魂道："我并不是没有要留下你的意思，更没有要你走的意思。"

小蝶道："那么你是什么意思？"

孟星魂道："我没有什么意思。"

小蝶道："你难道是石头？难道不是人？怎么会没有意思？"

孟星魂不说话了。

他发觉小蝶忽然又变了，变得很凶，而且简直蛮不讲理。

小蝶道："你没有话说了，是不是？"

孟星魂苦笑。他的确已无话可说。

小蝶道："好，你既然连话都不愿跟我说，我不走干什么？"

她跳起身，奔出去，大声道："我以后永远也不要见你，你若敢来找我，我打死你。"

孟星魂怔在那里，也不知是悲哀，是愤怒，还是痛苦。

他只觉心里很闷，很痛，几乎忍不住也要大声叫出来。

"我以后也永远不想见你，你也莫来找我。"

也许爱情就是这么回事。

你若想享受爱情的甜蜜，就必须同时忍受它的烦恼和痛苦。

小蝶已走得连影子都看不见了。

树林一片黑暗，令人绝望的黑暗。

孟星魂站起来，又坐下去，想找酒喝，可是懒得动。

他只想一个人坐在这里，坐在黑暗中。

但坐着也是痛苦，站起来还是痛苦，清醒时痛苦，醉了也痛苦。

一个人真正痛苦的时候，无论做什么都同样痛苦。

他有时厌倦，有时忧郁，有时空虚，但却从未如此痛苦过。

这是不是因为他以前从未有过快乐。

黑暗中忽传来一阵阵凄凉的哭声，孟星魂想装作听不见，却已听见了。

他站起来，走过去。

小蝶伏在一株树后，哭得就像个孩子。

"她究竟为什么哭？究竟有什么事令她如此伤心？"

孟星魂慢慢地走过去，走到她身旁。

她的头发披散下来，柔软而光滑。

他心中不再有气闷和愤怒，只是充满了同情和怜惜，只希望自己能说几句安慰她的话，却又不知该从哪里说起。

他忍不住伸出手，轻轻地去抚摸她的头发。

小蝶忽然拉住了他的手，用力拉住他的手，眼泪流满了她的面颊，在夜色中看来宛如梨花上的露珠。

她流着泪嘶叫："我不想回去，你莫要赶我走，我真的不想回去……"

孟星魂跪下来，紧紧拥抱住她。他的泪也已流下："没有人要赶你回去，也没有人能赶你回去。”

的确没有人要赶她回去。

是她自己在赶自己回去。

她自己心里有根鞭子。

小蝶没有回去。

她醒来时，发现自己还是躺在那张又冷又硬的小床上。

孟星魂坐在地上，头枕在她脚旁。

他仿佛还睡得很沉，就像是个睡在母亲足畔的孩子。

在你自己情人的眼中，你无论做什么都会像个孩子，笑得像孩子，哭得像孩子，睡得也像孩子。

一个人往往总会觉得自己所爱的人是带着几分孩子气的。

小蝶轻轻地坐起来，伸手轻轻去抚摸他的头发。

她看到他时，心里忽然充满了柔情蜜意，她抚摸他时，也正如一个慈爱的母亲在抚摸自己最疼惜的孩子。

在这一刹那，她已忘却了所有的烦恼和痛苦，忘却了一切。

孟星魂的呼吸忽然变得很轻很轻。

小蝶立刻缩回手，发白的脸上泛起一片红晕，声音中带着颤抖，道：“你……你醒了？”

孟星魂没有动，也没有出声，过了很久才抬起头，凝注着她。

小蝶的头却垂下，道：“昨天晚上，我又醉得很厉害，是不是？”

孟星魂道：“嗯。”

小蝶红着脸道：“我醉了之后，一定变得很凶，很不讲理，一定说了很多让你生气的话。”

孟星魂道：“我不气，因为我知道。”

小蝶道：“知道什么？”

孟星魂柔声道：“每个人心里都会有些乱七八糟的烦恼和痛苦，总得找个机会发泄。”

小蝶沉默了很久，幽幽道：“你也有痛苦？”

孟星魂道：“本来没有的。”

小蝶道：“难道——难道你认识我之后才有痛苦？”

孟星魂道：“嗯。”

小蝶用力咬着嘴唇，道：“你一定后悔认识我了。”

孟星魂道：“我不后悔，我很高兴。”

小蝶道：“高兴？我让你痛苦，你却高兴？”

孟星魂道：“因为没有痛苦也不会有真正的快乐，我只有跟你在一起的时候，才真正快乐。”

这些话在别人听来一定很肉麻，但在情人们自己听来，却温柔如春风，优美如歌曲。

情人的话本不是说给别人听的。

小蝶又沉默了很久，终于忍不住说出了心里的话：“我也一样。”

她说出了这句话，就立刻跳下床，避开了孟星魂的目光，道：“现在我真的要回去了。”

孟星魂道：“我知道。”

小蝶道：“你……你还是不必送我回去。”

孟星魂道：“我不送。”

小蝶道：“那么我……我走了。”

孟星魂道：“我也不让你走。”

小蝶霍然回身，瞪大了眼睛，道：“你不让我走？”

孟星魂又重复一遍，语气更坚决，道：“我不让你走。”

他不让她说话，很快地接着又道：“因为我知道你本不想回去。”

小蝶目中的惊奇变成了悲痛，泪光又涌出，黯然道：“不错，有时我的确想逃避，逃得远远的，可是我非回去不可。”

孟星魂道：“为什么？”

小蝶突又变得很急躁，道：“为什么？我难道还能在这里待一辈子？”

孟星魂道：“为什么不能？”

小蝶又叫了起来，道：“不能，不能……不能就是不能……”

她转身，孟星魂已拉住她的手。

她另一只手突然挥出，重重地掴在他脸上。

孟星魂整个人都已被打得呆住似的。

小蝶也呆住，过了很久，才长长吐出口气，冷冷道：“放开我——放开我好不好？”

孟星魂道："不好。"

他忽然用力将她拉过来，用力将她抱在怀中。

她的身子又冷又僵硬，就像是一块木头、一块铁、一块冰。

他觉得心已冷透，终于放开了她。然后他就觉得胃部剧烈收缩，全身都已因痛苦而颤抖。

小蝶动也不动地站着，冷冷地看着他。

他还在抖，抖得连站都站不住，一面抖一面退，退到墙角突然扭过头，扭过头时眼泪已夺眶而出。"好，你走……走……"

他用尽力量只说出这几个字，说出后就似将倒下。

小蝶没有走。

她忽然走过去拥抱着他，紧紧地拥抱住他。冰已融化，铁已燃烧。她身子柔软而发烫，变得就像一团火，眼泪又已流满面颊。

她用整个身子紧贴着他。

孟星魂的颤抖已渐渐平息，咬着嘴唇道："你……你不必这样做的。"

小蝶道："我不必，可是我愿意，只要你不后悔，我愿意将一切都给你。"

她抱得更用力，流着泪道："无论你后不后悔，我绝不后悔，无论以后你怎么样，我现在完全是你的。"

她说的每个字都是从心里说出来的，她已决心不顾一切，把自己交给这陌生人，这是她第一次心甘情愿地将自己交给别人。

因为她知道自己已全心全意地爱上了他。

虽然她对他还不了解，却已爱上了他。

这种情感来得实在太快、太猛烈，连她自己都几乎不能相信。

但这情感却又如此真实，令她不能不信。

爱情本就是种最奇妙的情感，既没有人能了解，更没有人能控制——它不像友情，友情由累积而深厚，爱情却是突然发生的。

它要么就不来，要来就来得猛烈，令人完全无法抗拒。

于是她给了他。

他也给了她。

他们丝毫没有勉强，就仿佛这本是最自然的结果，他们坐下来，他们活着，为的就是等着这件事发生。

他们既没有狂欢，也没有激情，只是无限温柔地付出了自己，也占有对方——

她躺在他臂弯里。

他的呼吸轻柔如春风。

风从窗隙间吹进来，但秋意却已被隔断在窗外。

大地和平而静寂。

也不知过了多久，小蝶的眼波又渐渐湿润，她轻轻翻了个身，背对着他，轻轻地道："现在你总该知道我有过别的男人！"

孟星魂的脸色温柔而平静，柔声道："我早已知道。"

小蝶道："你不后悔？"

她接着又问："你……难道你一点也不在乎？"

孟星魂的声音更温柔，道："过去的事，我为什么要在乎？"

小蝶突又转过身，紧紧地抱住他，眼泪沾湿了他的脸。

她流着泪道："不管你相信不相信，我都要告诉你，以前我虽然有过别人，但这却是我生平第一次——第一次——"

孟星魂道："我相信。"

小蝶将头藏到他胁下，道："你听了也许会觉得很可笑，但在我感觉中，我好像还是……还是个处女，好像还是第一次跟男人在一起。"

孟星魂道："我明白。"

他的确明白。

有些力量确实是任何人都无法抗拒的，所以一个人的身子是否被玷污，在他看来并不重要。

重要的是她的心。

只要她是真心对他，只要她的心仍然纯洁高贵，那么她是处女也好，是妓女也好，都完全不能影响他对她的爱和尊敬。

小蝶紧紧拥抱他，泪如泉涌。但这却是快乐的泪、感激的泪，没有人能形容她此刻的快乐和感激。

孟星魂忽然道："那个人是谁？"

小蝶的心沉下去，道："你既然不在乎，为什么要问？"

孟星魂说道："因为我知道他一定还在纠缠着你。"

小蝶道："你想杀了他？"

孟星魂紧闭着嘴。

这句话根本用不着答复，任何人都能看出他目中的怒火。

他毕竟是个人，是个男人。

这种事本就不是任何男人所能忍受的。

小蝶用力咬着嘴唇，喃喃道："我也想杀了他，我早就想杀了他！"

孟星魂道："那么你就告诉我……"

小蝶道："我不能告诉你。"

孟星魂道："为什么？"

小蝶道："因为我不愿你为我去杀人，更不愿你为我去冒险。"

孟星魂道："冒险？"

小蝶道："他是个很可怕的人，你……你……"

孟星魂冷笑道："你认为他比我强？你认为我不是他的对手？"

小蝶用力握着他的手，道："我没有这意思，绝对没有，只不过……"

孟星魂道："只不过怎样？"

小蝶闭着嘴，摇了摇头。

孟星魂道："你为什么不说话了？"

小蝶闭上眼睛，泪珠又涌出，过了很久，才缓缓道："我的意思你应该了解才是，为什么一定要我说出来呢？"

孟星魂也沉默了很久，才长长叹息了一声，道："我了解。"

他的确了解，但却无法不嫉妒。

只要有爱，就有嫉妒。

也许有人说："爱是奉献，不是占有。既然是奉献，就不该嫉妒。"

说这句话的人若非圣贤，就是伪君子。

圣贤博爱。

伪君子根本就不会对一个人真正爱过。

孟星魂既非圣贤，也不是伪君子。他了解，但是他嫉妒，愤怒，痛苦。

小蝶凝注着他的眼神，慢慢地松开了他的手，黯然道：“我只想你知道，我现在心里只有你，只关心你，那个人根本不值得你……”

孟星魂霍然站了起来，大声道：“你不用说了，我知道，全都知道。”

他赤着脚走过去，走到桌前倒了杯酒，一口喝了下去。

他就赤着脚站在冷而潮湿的石地上，久久都不肯回头。

小蝶凝望着他，仿佛已能感觉到自己的心在碎裂。

“难道我又做错了？”

“若没有我，他也许还不会如此痛苦！”

“我令别人痛苦，也令自己痛苦，我既明知这是不可能的事，为什么还要做？”

她悄悄地站起来，悄悄地穿上衣服。

孟星魂忽然道：“你想干什么？”

小蝶垂着头，看着自己纤细的脚趾，道：“我……我已出来两三天……”

孟星魂道：“你想回去？”

小蝶道：“嗯。”

孟星魂霍然回过头，瞪着她，道：“你一直想回去，一直不肯要我送你，是不是因为那个人在等着你？”

小蝶看到自己的脚趾在蜷曲收缩，她的心也在收缩。

孟星魂道：“你说你心里只有我，为什么不在这里陪着我？你心里若是真的只有我，就应该忘了那个人，忘了一切。”

他冷笑着，接着又道：“除非你根本就是骗我的。”

小蝶居然抬起头，瞪着他，大声道：“不错，我根本就是骗你的，我还是想他……”

孟星魂冲过来，用力抓起她的手，似乎想将她纤细的手腕捏碎，将她捏碎。

小蝶疼得眼泪都流出来，但她忍着，咬着牙道：“我既然已对你说明白了，你为什么还要死皮赖脸地拉住我？”

孟星魂的身子开始发抖，忽然扬起手，一掌掴在她脸上。

掌声清脆，“啪”的一响。

然后屋子里就突然静寂了下来，静寂如坟墓。

孟星魂的人也似已被埋入坟墓，他放开手，一步步向后退。

小蝶瞪着他，嗄声道："你打我……原来你也打女人！"

她猝然转身，冲出去。

她决心这次绝不再回头。

可是她刚冲了出去，就已听到孟星魂悲恸的哭声。

孟星魂哭得像是个孩子。

他本来以为自己只会流血，不会流泪，但眼泪要流下来的时候，纵是天大的英雄也拉它不住。

既然要哭，为什么不哭个痛快？大哭大笑，岂非正是至情至性的英雄本色？

小蝶的脚步停下，就像是忽然被一条看不见，也剪不断的柔丝拉住了。"我流泪的时候，只有他来安慰过我——"

她慢慢地转回身，走回去，走到他身旁，轻抚他的头发。

孟星魂咬牙忍住了泪，道："我既然打了你，你为什么还不走？"

小蝶垂下头，道："你虽然不该打我，可是我……我也不该故意气你。"

孟星魂道："你是故意气我的？"

小蝶叹了口气，柔声道："你难道真的相信我在骗你？我为什么要骗你？"

孟星魂跳起来，又紧紧抱住了她，破涕为笑，道："不错，你为什么要骗我？我有什么值得你骗的？我简直不是个东西。"

小蝶嫣然一笑道："你的确不是东西……你是个人。"

这就是爱情。

有痛苦，也有甜蜜，有种无法解释、莫名其妙的黏力。

有些人本来是天南地北，各在一方，而且毫无关系，但他们只要一见面就忽然被黏在一起，分也分不开，甩也甩不掉。

孟星魂和小蝶正是如此。

得偿心愿死也甜。

第十三章

杀手怖歌

凌晨。

孟星魂站在小路旁，从薄雾中看过去，依稀可以看到一栋小小的屋子，赭红色墙，暗灰色的屋顶，建造得很精致。

屋子外有个小小的花圃，有几簇花正盛开，却看不出是茶花，还是菊花。

听不见声音，也看不见人，窗子里仿佛有盏孤灯还未熄灭。

昨天晚上一定有人在屋里等，等得很迟。

小蝶痴痴地看着这窗子，良久良久，才轻轻叹了口气，道："这就是我现在的家。"

孟星魂道："现在的家？你以前还有过别的家？"

小蝶道："嗯。"

孟星魂也叹了口气道："你的家倒真不少。"

小蝶笑了笑，道："其实只有一个，现在这地方根本不能算作家。"

孟星魂道："你为什么不要以前那个家了？"

小蝶笑得很凄凉，道："不是我不要它，是它不要我。"

她似乎不愿再提以前的事，立刻改变话题，道："就因为这地方根本不能算是家，所以我才一直不愿你送我回来。"

孟星魂道："现在你为什么又要我送你回来？"

小蝶道："现在我反正什么都不在乎了，而且，我也想要你看看……"

孟星魂道："看什么？"

小蝶的目光忽然变得很温柔，缓缓道："看一个人，我希望你也跟我一样喜欢他。”

孟星魂的脸色变了，咬着嘴唇，道：“我想……还是不要看的好。”

小蝶瞟了他一眼，笑道：“你以为我要你来见那个人？”

孟星魂道：“不是？”

小蝶道：“当然不是，非但你不愿意看他，我以后也永远不想再见他。”

孟星魂道：“他现在……”

小蝶道：“他现在绝不会在这里。”

孟星魂道：“那么你带我来看谁？”

小蝶没有回答，拉起他的手，和他并肩走上了花圃间的小路。

很静，静得几乎听得见花瓣开放的声音。

他们慢慢地走在铺满了细碎石子的路上，屋子里竟立刻有人听到了他们的脚步声。

一个孩子的声音叫着道：“是不是娘娘回来了？宝宝要出去看看……宝宝要出去看看……”

门开了，一个睡眼惺忪的小姑娘，拉着个三四岁小孩子走出来。

这孩子圆圆脸上也满是睡意，用一双又白又胖的小手揉着眼睛，一看到小蝶，立刻笑着，跳着，挣脱了那小姑娘，张开双手奔过来，叫着道：“娘娘回来了，宝宝想死你了，娘娘抱抱宝宝。”

小蝶也甩开了孟星魂的手迎上去，道：“宝宝乖乖，快来给娘娘香香脸。”

她紧紧抱起小孩子，像是再也舍不得放开。

那小姑娘的眼睛里已无睡意，正吃惊地瞪着孟星魂。

孟星魂扭过头，心里乱糟糟的，也不知是甜，是苦，是酸。

也不知过了多久，他忽然发现小蝶抱着孩子站在面前，用一双充满了柔情的目光凝视着他，道：“宝宝叫声叔叔！”

孩子笑得像天使，立刻叫道：“叔叔……这个叔叔乖不乖？”

小蝶柔声道：“当然也乖，跟宝宝一样乖。”

孩子道：“叔叔乖乖，宝宝香香脸。”

他张开一双小手，扑过去抱住孟星魂。

孟星魂忽然觉得胸中一阵热血上涌，热泪几乎已忍不住要夺眶而出。

他伸手接过孩子，抱在怀里。

这是他平生第一次抱孩子。他忽然希望抱的是自己的孩子，他的心又开始在痛。

小蝶看着他们，目光更温柔，又不知过了多久，一粒晶莹的泪珠慢慢自眼角流落，滚下面颊。

她悄悄拭干泪珠，柔声道：“外面好冷，宝宝先跟姐姐过去好不好？”

孩子的笑脸立刻不见了，几乎快哭了出来，道：“娘娘又要出去吗？”

小蝶道：“娘娘不出去——娘娘陪叔叔说几句话，就进去陪宝宝。”

孩子道：“娘娘不骗宝宝？”

小蝶道：“宝宝乖，娘娘怎么舍得骗宝宝。”

孩子立刻又笑了，从孟星魂身上溜下来，笑道：“宝宝乖，宝宝先进去，娘娘就喜欢……”

他雀跃着奔进去，又往门外面探出头，向孟星魂摇了摇手。

孟星魂也摇了摇手，也想笑笑，但一张脸却似乎已麻木僵硬。

等孩子走进去，小蝶才转过脸来望着他。孟星魂勉强笑了笑，道：“这孩子的确很乖，很可爱。”

小蝶慢慢地点了点头，凄然道：“很乖，很可爱……也很可怜。”

孟星魂长长叹了一声道：“的确很可怜。”

小蝶垂下头，道：“你现在总该知道我为什么一定要回来了吧！”

孟星魂点点头。

小蝶的声音哽咽，嗄声道：“他已经没有父亲，我不能让他再没有母亲。”

孟星魂道：“我明白。”

他当然明白，世上也许不会再有别的人比他更明白，一个没有父母的孤儿是多么可怜，多么痛苦。

他自己也不知有多少次在半夜中被噩梦惊醒，醒来时已满面泪痕。

小蝶黯然道："无论父母做错了什么，孩子总是无辜的，我实在不忍让他痛苦终生。"

孟星魂双手紧握，痴痴地怔了半晌，忽然道："我该走了，你……你也不必送我。"

小蝶幽幽道："你就这样走？"

孟星魂道："你不忍，我……我也不忍……我留在这里虽痛苦，但走了一定会更痛苦。"

他转过身，小蝶却又将他拉回，凝注着他，道："你不能走，我还有话说。"

孟星魂道："你说，我听。"

小蝶目光移向远方，道："你当然知道这孩子就是那个人的吧？"

孟星魂道："嗯。"

小蝶道："我发现自己有孩子的时候，我真恨，不但恨那个不是人的人，也恨自己，恨这孩子，我甚至下了决心，一等他生出来就把他淹死。"

孟星魂在听着。

小蝶道："但等他生下来后，我第一眼看到他，看到他那张红红的、丑丑的小脸，我心里的恨就变成了爱。"她声音如在梦中，慢慢地接着道："我看着他一天天长大，看着他一天比一天可爱，我抱着他喂奶的时候，也会感觉出他吸得一天比一天更有力，我忽然觉得只有在这时候，我才会暂时忘记自己的烦恼和痛苦。"

孟星魂低低咳嗽几声，他热泪又将夺眶而出。

小蝶道："那时候我才知道这一辈子是绝不能离开他的，他需要我，我更需要他，为了他，什么痛苦委屈都可以忍受，我已决心忍受一生。"她黯然长叹，接着道："我既然舍不得孩子，就不会有勇气离开那个人，那个人自己当然也知道，所以他从未想到我会反抗，会改变。"

孟星魂道："你……你变了？"

小蝶道："我的确变了——若没有你，我也许永远不敢，可是你给了我勇气，我才敢下决心——下决心离开他！"

孟星魂的眼睛忽然明亮了，道："你……你真有这决心？"

小蝶面对着他，道："我只问你，你要不要我？要不要我的孩子？"

孟星魂忍不住拥抱起她，柔声道："你说过，孩子是无辜的……你的孩子就是我的孩子。"

小蝶道："真的？"

孟星魂道："当然真的。"

小蝶道："我们以后也许会遇到很多困难，很多麻烦，你会不会后悔？"

孟星魂道："绝不后悔！死也不后悔！"

小蝶道："死也不后悔？"

孟星魂道："只要已活过，死又何妨？只有跟你在一起，我才算活着。"

小蝶"嘤咛"一声，扑入他怀里。

两个人紧紧拥抱，整个世界仿佛已被他们抱在怀里。

风轻轻地吹，雾轻轻地散，花轻轻地散发着芬芳。

小蝶忽然道："你喜不喜欢蝴蝶？"

孟星魂道："蝴蝶？"

小蝶道："嗯，蝴蝶，我喜欢蝴蝶，因为我觉得有些人的命运就跟蝴蝶一样，尤其是我。"

孟星魂道："你？"

小蝶道："有一天我发现我的丫头将一只蝴蝶捉来夹在书里，心里本来很生气，我想不出那小丫头竟说出了一篇很令我感动的道理。"

孟星魂道："她说什么？"

小蝶道："她说这蝴蝶虽因她而死，却也因此而保存了它的美丽，它活得已有价值，就算她不去抓这只蝴蝶，蝴蝶也迟早会死的，而且可能死得更悲惨……"她凄然一笑，接着道："所以我假如忽然死了，你也用不着伤心，因为我活得总算也有了价值，我知道你一定会永远记得我的。"

孟星魂抱得更紧，道："你怎么能说这种话？你怎么会死？"

小蝶不再说话，静静地依偎在他怀里，过了很久，才轻轻道："你先回去等我好不好？"

孟星魂道："你呢？"

小蝶道："我这里还有些东西要收拾，然后我就立刻带着孩子去找你。"

孟星魂沉吟着，忽然摇头，道："我还是在这里等你的好。"

小蝶道："为什么？"

孟星魂道："我不放心。"

小蝶嫣然道："傻孩子，有什么不放心的，难道你还认为我会骗你？"

孟星魂道："你当然不会骗我，可是，万一有了什么意外……"

小蝶道："绝不会有意外，那个人暂时绝不会来，所以我要把这里的一切收拾妥当，要他以后永远找不到我。"

她轻抚着孟星魂瘦削的脸，柔声道："所以你尽可放心，我很快就会去找你，无论如何都一定会去找你，我已决定要跟你快乐地活在一起，就算只活一天，我也愿意！"

你若爱过，你就会懂得她的话，那么你也会同意，只要你能真心相爱地活一天，也是幸福的。

那已比跟你所憎恶的人活一辈子好得多。

孟星魂沿着这条小路慢慢地走回去。

路窄而崎岖，可是他却非走不可。

"每个人都得走完他自己的路。"

他本已习惯孤独，但现在他忽然觉得孤独竟是如此难以忍受。

他相信她一定会来，但也不知为了什么，心里总仿佛觉得有种不祥的预兆，这种感觉非但使他精神恍惚，简直已使他有点失魂落魄。

就算是条久经训练的猎犬，在怀春的时候也会变得反应迟钝的。

他竟完全没有发觉暗中有个人一直在跟着他。

这人的眼睛充满了怨毒和嫉妒，若是目光能杀人，孟星魂早已死在路旁。

直等孟星魂走远，这人才慢慢走出来，咬着牙，喃喃道："你们一定要后悔，我虽不杀你们，但总有一天要叫你们后悔，为什么不早点死掉，我要叫你们活得比死还痛苦十倍。"

他语气中虽充满了怨毒，但却还是很平静。

在这种时候，还能保持平静的人，就表示只要他说出的话就一定做得到。

孟星魂推开门，才发觉高老大在屋子里。

她就坐在床上，在小屋里暗淡的光线中，她看来还是那么年轻，那么美，美得足以令大多数男人的呼吸停顿。孟星魂的呼吸似已停顿。

高老大望着他吃惊的面色，嫣然道："你没有想到我会在这里？你吓了一跳？"

孟星魂只能点点头。

高老大沉下了脸道："以前你就算站在十丈外，也会感觉到这屋子里已有人的，现在怎么忽然会变得迟钝了？是什么事令你改变的？"

孟星魂低下头，他无法解释，也不能解释。

高老大冷冷道："狐狸只有在怀春的时候才会落入猎人的陷阱，你呢？"

孟星魂道："我不是狐狸，我是人。"

高老大道："人也有怀春的时候。"

孟星魂道："这里没有陷阱，你也不是猎人。"

高老大道："我若是呢？"

孟星魂道："你现在已死了。"

高老大瞪着他，良久良久，终于展颜而笑，道："你果然是跟以前一样，果然没有让我失望。"

她忽又问道："你知道不知道有些人在背后叫你什么？"

孟星魂道："随便他们叫我什么都没关系。"

高老大笑了笑道："他们叫你'钉子'，无论谁撞上你，头上都会撞出个洞，连我都不例外。"

孟星魂道："那么你就不该来，你要我做的事，我并未忘记。"

高老大道："我来看看你都不行吗？莫要忘记，你小时候连一天都离不开我的。"

孟星魂又垂下头，垂得更低，过了很久，才长长叹了口气，道："我不会忘记的——永远都不会忘记。"

高老大柔声道："叶翔已来对我说过你的事，我既然知道你受了伤，怎么能不来看你？就算有天大的事，我也会抽空来看看你的。”

她笑了笑，接着又道：“我还记得有次你去偷人家田里的芋头，被那家人养的狗在你腿上咬了两口，咬得你好几天都躺着不能动。”

孟星魂道：“我……我也记得……那次你一直在旁边守护着我。”

他并不是忘恩负义的人，但每次忆及往事时，心里都会发疼。

高老大道：“看来你的伤已好了些？”

孟星魂道：“好得多了。”

高老大道：“那么，你想在什么时候动手？”

她笑了笑，接着道：“我并不是在催你，只不过，现在的确有个很好的机会。”

孟星魂道：“什么机会？”

高老大道：“现在老伯又在暗中招兵买马，准备跟万鹏王最后一战，像你这样的人若去投靠他，他一定会重用你。”

孟星魂道：“他也定会仔细调查我的来历。”

高老大道：“不错。”

孟星魂道：“他若发现我根本没有来历时，你想他会对我怎么样？”

他的确没有来历。

江湖中根本没有人知道他的过去。

没有来历比任何一种来历都更容易令人怀疑，因为像他这么样一个人，是绝不可能凭空从天上掉下来的。

高老大道：“他若查不出你的来历，说不定就会杀了你。”

孟星魂道：“你是要我杀他，还是要他杀我？”

高老大笑道：“但你并不是没有来历的人，我已替你安排了个来历。”

孟星魂道：“什么来历？”

高老大道：“你姓秦，叫秦中亭，是鲁东秦家的人，秦护花秦二爷的远房侄子，因为从小就跟着秦二爷手下的海客出海去做生意了，从未在中原露过面，所以也就没有人认得你。”

她又笑笑，接着道：“你总该知道，秦护花不但欠我的情，而且一直想讨好我，我就算说你是他叔叔，他也不会否认的。”

孟星魂道："秦家的子弟，为什么要投靠老伯？"

高老大道："因为你想出人头地，老伯和十二飞鹏帮之间的争战，早已轰动武林，年轻人若想扬名立万，这正是最好的机会。"

孟星魂看着她，心里不禁涌起钦佩之意。她虽然是个女人，虽然还是很年轻，但做事计划之周密，十个老江湖加起来也万万比不上。高老大也正在看着他，目光尖锐而冷静。孟星魂在接触到她目光的时候，心里常会怀疑，现在坐在他面前的这冷酷而现实的女人，是否真的还是那将他们从泥沼中救出来，不惜牺牲一切将他们养大，使他们免于寒冷饥饿的那个女孩子？

有时他甚至会怀疑，那时她是为什么而救他们的。是真的出于怜悯和同情，还是有了利用他们的打算？她对他们的照顾和爱，只不过是种有计划的投资？他怀疑，却从来不愿想得太多、太深。

他不愿做个忘恩负义的人。

高老大从怀中取出两本装订得很好的纸簿，道："这一本是秦家的家谱。鲁东的秦家是大族，人很多，你最好全部记下来。其中有个叫秦雄的，就是你的父亲，你十岁的时候，他已死了。"

孟星魂道："怎么死的？"

高老大道："病死的。"

她考虑了一下，又道："据说是种不体面的病，所以别人问起时，你可以拒绝答复。"

孟星魂道："另外这本呢？"

高老大道："这本是秦中亭自己在船上写的私记，记载着这些年来他的生活，认得了些什么人，到过什么地方，所以你更要记得很熟。"

孟星魂道："那些人……"

高老大打断了他的话，道："那些人都已出海，两三年内绝不会回来，所以你不必担心他们会揭穿这秘密。"

孟星魂道："我只担心一件事。"

高老大道："你是不是担心老伯会找到真的那个秦中亭？"

孟星魂道："是。"

高老大笑笑说道："你放心，他找不到的。"

孟星魂没有问为什么。

他知道高老大若想要一个人失踪，并不是件困难的事。

高老大凝注着他，道：“你还有什么问题？”

孟星魂道：“没有了。”

高老大道：“那就该我问你了，你去不去？”

孟星魂转过身，面对着窗子。

风从远方吹过来，落叶在风中飘舞，远方的山声凄清。

孟星魂缓缓道：“若不是你，我根本活不到现在，你知道我随时都准备为你死的。”

高老大的目光忽然变得很柔和，道：“但我却不希望你为我而死，我只希望你为我活着。”

孟星魂道：“我没有父母，没有亲人，甚至连朋友都没有，我可以为你死，也可以为你活，可是现在我……”

高老大道：“现在怎么样？”

孟星魂的手紧紧抓着窗门，缓缓道：“现在我希望能为自己活一段时候。”

高老大目中的温柔之意突然结成冰，道：“你是不是想离开我？”

孟星魂道：“我并不是这意思，只不过……”

高老大突又打断了他的话，道：“你的意思，我想我已经明白。”

她的目光更冷，但声音却更温柔，柔声接道：“你是不是已经有了意中人？”

孟星魂沉默着，沉默的意思通常就是默认。

高老大道：“你用不着瞒我，这是件喜事，我也为你高兴，只不过……那女孩子是不是值得你这样做呢？”

孟星魂道：“她很好。”

高老大笑了笑，笑的时候还是没有丝毫温暖之意。她笑着道：“我倒真想看看她，能令你如此倾倒的女孩子，一定非常出色。”

孟星魂道：“你不反对？”

高老大道：“我为什么要反对？你本已到了应该成家的时候，只要是你喜欢的女孩子，我一定也会喜欢的。”

孟星魂回过头，目中充满感激，感激得连喉咙都似已被塞住。

高老大却转过头，道：“你们准备到什么地方去？”

孟星魂沉吟着，道：“现在还不知道，我只想找个安静的地方。”

高老大道：“你们准备什么时候走？”

孟星魂拿起放在桌上的那两本簿子，道：“那就要看这件事什么时候才能做好。”

这已是他报答高老大恩情的最后一次机会，他不能不去。

高老大转过头来望着他，连目光都已变得非常温柔，道：“这次的任务很危险，你就算不去，我也不会怪你。”

孟星魂道：“我去，我已经答应过你。”

高老大道：“你有没有把握？”

孟星魂面上露出微笑，道：“你用不着为我担心，应该担心的人是孙玉伯。”

他从未对自己如此自信，这任务无论多么困难危险，他也有信心完成，他忽然觉得自己比以前更成熟、更聪明，这就是爱情。

爱情可以令人变得坚强、勇敢、自信。

爱情几乎可以做任何事，只除了一样——爱情改变的只是你自己，你不能改变别人。

高老大走了，带着微笑走的。

远处有一辆华丽的马车在等着，她带着微笑坐上马车。赶车的车夫本已等得有点不耐烦，现在心情也好了起来：“老板娘今天一定很顺利，一定得到很令她开心的消息。”

他从未发现老板娘的笑容竟是如此可爱，如此令人欢愉。无论谁见到这种笑容，心情都会变得好起来的。

回到快活林的时候，还不算太晚，她又陪客人们喝了几杯酒，脸上的笑容更甜蜜动人，连客人们都忍不住在问：“老板娘今天为什么特别高兴？”

直到很迟的时候，她才回到自己的屋子，她贴身的丫头也觉得她今天脾气特别好，连洗澡水凉了，她都全不在意。

她微笑着叫丫头早点休息，微笑着关起房门，然后突然回过身，将屋子里每一样可以砸碎的东西都砸得粉碎！

孟星魂一直站在门口，所以小蝶一走进树林，他就已看到。

“她果然来了，带着孩子来了。”

孟星魂这一生从未有过比此刻更幸福快乐的时候，他忽然觉得自己刚才那种不祥的预感很荒谬可笑。

孩子已睡了。

小蝶轻轻地将他放在床上，她看着孩子，再看看孟星魂。

目光中充满了幸福满足，温柔得如同夕阳下的湖水。

孟星魂已张开双臂，等着她。

小蝶扑入他的怀里，满足地叹息了一声道：“现在我完全是你的了，随便你要怎么样都可以。”

孟星魂的手从她领子里滑了进去，轻抚着她温暖光滑的肌肤，道：“随便我要怎么样？”

小蝶闭上眼睛，吃吃地娇笑道：“随便……你难道会吃了我不成？”

孟星魂道：“我正是要吃了你，一口一口地吃到肚子里去。”

他低下头轻轻地咬她耳朵和脖子。

小蝶笑着闪了闪，喘着道：“孩子……留神莫要吵醒了孩子……”

孩子却已坐了起来，睁大了眼睛瞪着他们。

小蝶赶紧推开他，拉着衣襟，虽然在自己孩子面前，她还是有点脸红。

孩子眨眨眼，忽然笑了，道：“娘娘亲叔叔，叔叔一定乖得很。”

孟星魂也忍不住笑了，走过去抱起孩子，道：“宝宝也乖得很，叔叔亲宝宝。”

孩子揉着眼睛，道：“宝宝想睡了，娘娘带宝宝回家好不好？”

小蝶接过孩子，放在床上，柔声道：“宝宝就在这里乖乖睡，这里就是我们的家。”

孩子用力摇头，道：“宝宝不要这个家，这里好脏、好乱，宝宝睡不着。”

小蝶瞟了孟星魂一眼，勉强笑道：“宝宝先乖乖睡一觉，叔叔就要带我们到好的地方去了。”

孩子道：“叔叔会不会骗人？”

孟星魂柔声道：“叔叔怎么会骗人？宝宝只管安心睡吧！”

孩子笑道："叔叔骗人就不乖，娘娘就不亲叔叔了。"他拉着母亲的手，闭上眼睛，脸上还带着甜甜的笑，喃喃道："叔叔就要带宝宝到好的地方去了，那地方，有好香的花，宝宝睡的床又软又舒服……"

他已在梦中找到了那地方，他睡得很甜。

孟星魂的心却又已开始刺痛，他的确想让他们活得更安定舒服，他的确想要给他们一个很好的家。可是他忽然发现自己办不到。

爱情并不能改变一切，不能将这破房子改变成一个温暖的家，也不能将阳光青草变成孩子的食物。

孟星魂的手不由自主伸进袋口，紧紧捏着剩下的一张银票。

这已是他的全部财产，他手心突然沁出冷汗。

小蝶凝注着他，显然已看出他的心事，走过去轻抚他的脸，柔声道："你用不着担心，只要我们能在一起，日子过得苦些，也没关系。"

她本来当然还有些珠宝首饰，可是她什么也没有带来。

她已决心抛却以前所有的一切，重新做人。

这点也正是孟星魂最感激的，他知道她愿意跟他同甘共苦，可是孩子……

孟星魂忽然摇摇头，道："无论如何，我们也不能委屈了孩子。"

他已下定决心，决心要尽快完成那件任务。

任务完成后，高老大一定会给他一笔很丰厚的报酬。

孟星魂又道："你能不能在这里等我十天？"

小蝶道："等你十天？为什么？"

孟星魂道："我还有件事要去做，只要这件事能做好，孩子以后也可以活得好些。"

小蝶道："可是……你却要离开我十天，整整十天。"

孟星魂道："十天并不长，我也许还可以提早赶回来。"

小蝶垂下头，道："以前我也会觉得十天很短，就算十年，也好像一眨眼就过去，可是现在，现在却不同了，因为……"

她忽又紧紧将他拥抱道："因为我一定会时时刻刻地惦记着你，时时刻刻地为你担心，你若不在我身边，那种日子我简直连一天都过不下去。"

孟星魂柔声道：“你一定能过下去的，只要想到我们以后还有几千几百个十天，这十天也很快就会过去了。”

小蝶道：“你能不能告诉我你要到哪里去？”

孟星魂迟疑着，勉强笑了笑，道：“以后我定会告诉你，但现在你最好莫要知道。”

小蝶目中出现忧虑之色，道：“为什么？是不是怕我担心？你做的事是不是很危险？”

孟星魂笑道：“你用不着为我担心，只要想到你，就算有些危险，我也能应付的。”

小蝶道：“你……你是不是一定会回来？”

孟星魂道：“当然，无论如何，我都一定会回来。”

他假笑着，亲了亲她的脸，又道：“就算别人砍断了我两条腿，我爬也要爬回来的！”

小蝶望着孟星魂的身影消失，眼泪又流下面颊。

也不知为了什么，她心里忽然觉得很乱，仿佛已预感到有某种不幸的事将要发生。

尤其是孟星魂临走时说的那句话，更使她忧虑不安。她仿佛已看到孟星魂的两条腿被砍断，正爬着回来。

她真想不顾一切，将他留在身边，可是她没有这样做。

因为她知道男人做的事，女人最好不要干涉——一个女人若是时常要干涉男人的事，迟早一定会后悔的——等到这男人受不了她的时候，她想不后悔也不行。

但小蝶若是知道孟星魂现在要去做的是什么事，去杀的是什么人，那么她宁可被他埋怨，也会不顾一切地将他留住。

因为他此去所做的事，必将令他们两人后悔终生。

高老大望着满地的碎片，一双手还是在不停地发抖。

她这一生从未如此愤怒过。

只要她想要的，她就不择手段去要，就一定能得到。

她一得到就抓得很紧，因为她不愿再失去，更不愿被人抢走，不到那样东西已失去价值时，她绝不肯松手。

她甩掉过很多已失去价值的东西，甩掉过很多已失去价值的人，就像甩掉手上的鼻涕一样。

可是她从未被别人甩掉过。

现在，她一手抚养大的孟星魂，却要离开她了，为了另一个女人而离开她，这种事，她怎么能忍受？

愤怒就像是一股火焰，从她的心里开始燃烧，直烧到她的子宫。

她需要发泄，无论摔破多少东西都不能算是发泄。

她是女人，一个三十七岁的女人，只有在男人身上才能得到真正的发泄。

她出浴后的皮肤在灯下看来白里透红，宛如初生婴儿的脸。

昂贵柔滑的丝袍是敞开的，修长的腿从敞开的衣襟里露出来，仍然结实而充满弹性。

小腹也依然平坦，全身上下绝没有任何地方肌肉松弛。

像这样的女人，当然还可以找到很多男人，每当他们看到她时，目中的垂涎之色就像是饿狗看到了肥肉。

她并没有低估自己的魅力，但却不愿这么做。

女人的身体就像是饵，只能让男人看到，不能让他得到。

因为男人是种很奇怪的鱼，他吞下了饵，往往就会溜走。

“妻不如妾，妾不如偷，偷不如偷不着。”

她多年前就已懂得男人的心，所以她多年前就已懂得利用情欲来征服男人。多年前一个酷热的夏夜，她忽然被情欲燃烧得无法成眠了，悄悄走出去，提桶冷水在仓房的一角冲洗。她看到有几双发亮的眼睛在黑暗中瞪着她赤裸的身子——那天晚上看到她裸浴的，并不止孟星魂一个人。

她并没有阻止他们，也没有掩盖自己，反而冲得更仔细，尽量将自己完美无瑕的胴体裸露到月光下。

因为她忽然发觉自己喜欢被男人偷看。

每当有人偷看她时，她自己也同样能感觉到一种秘密的欢愉。

在那天晚上，她另外还发现了两件事。

那些孩子都已长大。

她在他们心目中已不仅是母亲和朋友，还是个女人，只要她懂得利用这一点，他们就永远不会背叛她。

她第一次遭受失败，是在孟星魂的木屋里。

她想不到孟星魂在那种时候还能控制自己，孟星魂奔出木屋的时候，她愤怒得几乎忍不住要将他拉回来斩成肉酱。女人被男人拒绝时，心里的感觉，并非羞愧而是愤怒，这点只怕是男人想不到的。

她也控制住自己，因为她确信以后还有机会。

她永远想不到孟星魂会离开她。

推开窗子，风很冷。

情欲也正如火焰一样，冷风非但吹不灭它，反而更助长了火势。

她撩起衣襟，掠了出去。

小何现在虽已没有用，但她知道在什么地方能找到叶翔。

酒樽是空的。

叶翔手里的酒樽仿佛都是空的。他俯卧在地上，用力压着大地，仿佛要将大地当作他的女人。

他的心虽已残废，人却未残废，就像其他那些三十岁的男人，时时刻刻都会受到情欲的煎熬。

尤其是在喝了酒之后，酒总是令男人想女人。

酒是不是能令女人想到男人?

是的。

唯一不同的是：男人喝了酒后，会想到各式各样的女人，很多不同的女人；女人喝了酒后，却往往只会想到一个男人。

大多数时候她想到的是一个抛弃了她的男人。

叶翔是男人，现在他想到了很多女人，从他第一个女人直到最后一个。他有过很多女人，其中大多数是婊子，是他用钱买来的。

但他第一个女人却不同，他将自己的一生都卖给了那女人。

那的确是与众不同的女人。

只要想到她那完美无瑕的胴体，他就冲动得忍不住要将自己的手当作她。

突然有人在笑，笑声如银铃!

“想不到你会变得这样可怜，可怜得居然只能用自己的手。”

叶翔翻过身，就看到了高老大。

高老大看着他，吃吃地笑道：“你用手的时候，是不是在想我？”

叶翔愤怒得脸发红。

近来他自觉已逐渐麻木，但现在却愤怒得几乎无法忍受。

高老大还在笑，笑得更媚，道：“你以为我再不会找你了，所以才用手，是么？”

叶翔勉强控制住怒火，冷冷道：“我早就知道你还会来找我的。”

高老大道：“哦？”

叶翔道：“你就像是条母狗，没有男人的时候，连野狗都要找。”

高老大笑道：“那么你就是野狗。”

她故意让风吹开身上的丝袍，让他看到他早已熟悉的胴体。

一阵熟悉的热意自他小腹间升起，他忽然用力拉住了她纤巧的足踝。

她倒下，压在他身上。

叶翔翻身压住她，喘息着……

风在林梢。

叶翔的喘息已渐渐平静。

高老大却已站了起来，冷冷地看着，冷冷道：“我知道你已不行了，却没想到连这种事你也不行了。”

叶翔冷笑道：“那只因为我将你当条母狗，用不着让你享受。”

高老大的脸色也因愤怒而发红，咬着牙道：“莫忘了是谁让你活到现在的，我既能让你活，同样也能要你死！”

叶翔道：“我没有忘记，我一直对你很尊敬很感激，直到我发现你是条母狗的时候，你不但自己是狗，也将我们当作狗——你养我们，为的就是要我们替你去咬人。”

高老大瞪着他，嘴角忽然又露出微笑，道：“无论你嘴里怎么说，我知道，你心里还是在想着我的。”

叶翔道：“我的确在想你，连我用手的时候也在想着你。但我也只有在想这种事的时候，才会想到你，因为这种时候，我不敢想她，我不敢冒渎了她。”

高老大道：“她？她是谁？”

叶翔笑了笑，道：“当然是一个女人。”

高老大道："你心里还有别的女人？"

叶翔道："没有别的，只有她。"

高老大道："她究竟是谁？"

叶翔冷笑道："她比你高贵，比你美，比你不知要好多少倍。"高老大听后脸色有些变了。

叶翔笑得更残酷，道："我知道你现在一定想杀了她，只可惜你永远也不会知道她是谁。"

高老大忽然大笑，忽然问道："你知不知孙玉伯还有个女儿？"

叶翔脸上的笑容忽然冻结。

高老大道："你若去问孙玉伯，他一定不承认自己有个女儿，因为这女儿实在太丢他的人，还未出嫁就被人弄大了肚子。"

叶翔的脸已因痛苦而扭曲。

他忽然发觉无论任何秘密都瞒不了高老大。

高老大道："最妙的是，她肚子大了之后，却还不知谁是肚里孩子的父亲。"

叶翔眼前仿佛又出现了个纯洁的美丽影子，正痴痴地站在夕阳下的花丛里，痴痴地看一双飞翔的蝴蝶……

那是他心中的女神，也是他梦中的情人。

叶翔跳起来，咬着牙，哽声道："你说谎！她绝不是这种女人。"

高老大道："你知道她是怎么样的女人？你认得她？"

叶翔咬着牙不能回答。

这是他心里最大的秘密，他准备将这秘密一直隐藏到死。

但他当然也知道，若不是为了她，孙玉伯就不会要韩棠去找他，他也就不会变成这样子。

高老大带着笑道："孙玉伯对这女儿本来管得很严，绝不许任何男人接近她，无论谁只要对她有了染指之意，就立刻会发觉孙玉伯属下的打手在等着他，那么这人很快就会失踪了。"

她笑得比叶翔刚才更残酷，接着又道："但孙玉伯还是忘了一件事。忘了将他女儿像男人一样阉割掉，等他发现女儿肚子已大了时，后悔已来不及，为了顾全自己的面子，只有将她赶出去，而且永远不承认自己有这么一个女儿。"

叶翔全身颤抖，道：“你……你说的话我一个字也不信。”

高老大笑了笑，说道：“其实，你每个字都相信，因为你不但见过孙玉伯的那个女儿，也见过她的孩子。”

叶翔退了两步，忽然坐到地上。

高老大道：“有件事你也许真的不信——非但你不信，连我都有点不信，像她那样的荡妇，居然还有人敢去爱她。”

她眨了眨眼，又说道：“你猜爱上了她的人是谁？”

叶翔咬着牙。

高老大道：“你当然猜不到，爱上她的人，就是孟星魂。”

叶翔全身冰冷。

高老大道：“更妙的是，她居然也像真的爱上了他，居然准备跟他私奔。”

叶翔颤声道：“我不信——这种事就算真的发生了，你也不会知道。”

高老大淡淡道：“我为什么不能知道？我知道的事比你想象中多得多。”

叶翔道：“你……你已知道，却还是要小孟去杀她的父亲？”

高老大沉下脸，冷冷地说道：“那是他的任务，他不能不去，何况他根本不知道她是谁的女儿。”

她嘴角又露出残酷的微笑，悠然接着道：“等他知道时，那情况一定有趣得很……等到那时，他就会回来的。”

后面那两句话她说的声音更低，因为她根本是说给自己听的。

叶翔没有听见，他好像什么都没有听见。高老大道：“你在想些什么？是不是想去告诉他？”

叶翔忽然笑了，道：“我本来还以为你很了解男人，谁知你除了跟男人做那件事外，别的什么都不懂。”

高老大瞪着眼，道：“我不懂？”

叶翔道：“你若懂得男人，就应该知道男人也跟女人一样，也会吃醋的，而且吃起醋来，比女人更可怕。”

高老大看着他，目中露出笑意。

她当然懂。

最冷静的男人往往也会因嫉妒而发狂，做出一些连他自己也想不到的事，因为那时他已完全失去理智，已变成野兽。

高老大笑道："不错，孙玉伯死了之后，他女儿迟早总会知道谁杀了他，那时你也许还有机会。"

叶翔闭起眼睛，说道："现在，我只担心一件事。"

高老大道："担心什么？"

叶翔道："只担心小孟杀不了孙玉伯。"

高老大脸上的笑忽然变得神秘，缓缓道："你用不着担心，他的机会很好，简直太好了。"

叶翔皱眉道："为什么？"

高老大道："你知道谁来求我暗杀孙玉伯的么？"

叶翔摇摇头。

高老大笑道："你当然猜不到……谁都猜不到的。"

叶翔试探着道："孙玉伯的仇人很多。"

高老大道："来找我的并不是他的仇人，而是他的朋友。"

她又笑笑，慢慢地接着道："你最好记着，仇人并不可怕，真正可怕的是你的朋友。"

叶翔沉默了很久，才又淡淡地道："我没有朋友。"

高老大道："孟星魂岂非是你的朋友？"

有人说："聪明人宁可信任自己的仇敌，也不信任朋友。"

被"朋友"出卖的确实很多。因为你只提防仇敌，不会提防朋友。

高老大的确是聪明人，只不过她还是说错了一点。

朋友并不可怕。

真正的可怕是，你分不出谁是你的仇人，谁是你的朋友。

孟星魂在树下挖了个洞，看着那两本簿子在洞中烧成灰烬，再埋在土里。

在行动前，他总是分外小心，无论做什么都绝不留下痕迹，因为无论多么小的疏忽，都可能是致命的疏忽。

现在他已将这两本簿子上的名字全都记熟，他确信自己无论在任何情况下都绝不会忘记。

现在他已准备开始行动。

除了第一次外，他每次行动前都保持平静，几乎和平时完全没有两样，就算一个真正的刽子手在行刑前，心情都会比他紧张得多。但现在他心里忽然觉得有些不安。那是不是因为他以前杀人都是报恩，为了奉命，为了尽责，所以自己总能为自己找到借口，而这次杀人却是为了自己。

他不能不承认这次去杀人是有些私心。因为他已想到了杀人的报酬，而且竟想用这报酬来养自己所爱的人，他简直不敢去想，因为连他自己也觉得自己这想法卑鄙无耻。

“孙玉伯也许本就该杀。”

“但你为了正义去杀他是一回事，为了报酬杀他又是另一回事了。”

孟星魂心里充满了痛苦和矛盾，只有不去想它——逃避虽也可耻，但世人又有谁没有逃避过呢？有的人逃避理想，有的人逃避现实，有的人逃避别人，有的人逃避自己。

有时逃避只不过是种休息，让你有更多的勇气去面对人生。

所以你觉得太紧张时，若能逃避一下，也蛮不错的，但却千万不可逃避得太久，因为你所逃避的问题，绝不会因你逃避而解决的。

你只能在逃避中休息，绝不能“死”在逃避里。

孟星魂站起来，长长地叹了口气。

月明星稀。

他踏着月色走向老伯的花园，现在去虽已太迟了些，但他决心不再等。

只有一样事比“明知做错，还要去做”更可怕，那就是“等着痛苦去做这件事”。你往往会等得发疯。

老伯的花园在月色中看来更美如仙境，没有人，没有声音，只有花的香气在风中静静流动。

也没有任何警戒防备，花园的门大开着。孟星魂走了进去。

他只踏入了这“毫无戒备”的花园一步——

突然间，铃声一响，十八支弩箭挟着劲风，自花丛中射出。

孟星魂的身子也如弩箭般射出。

他落在菊花上，菊花开得这么美，看来的确是比较安全的地方。

但菊花中立刻就有刀光飞起。

四把刀，一把刀刺他的足踝，一把刀砍他的腰，一把刀在旁边等着他，谁也不知道要砍向哪里。

还有一把刀却是从上面砍下来的，砍他的头。

花丛上完全没有借力之处，他身子已无法再跃起，看来已免不了要挨一刀。

至少挨一刀，也许是四刀。

孟星魂没有挨上，他身子不能跃起，就忽然沉了下去。

“一条路在走不通时，你就会赶快地找另一条路。”

孟星魂的武功并不完全是从师父那学来的，师父的武功是死的，他的武功却不死——否则他就死了，早就死了。

他从经验中学到的更多。

他身子忽然落入花丛中，落下去之前脚一踩，踩住了削他足踝的一把刀，挥拳打飞了砍他腰的一把刀。

他身子既已沉下，砍他头的一刀自然是砍空了。

那把在旁边等着的刀砍下来时，他的脚已踩到地，脚尖一借力，身子又跃起。

身子跃起时，乘机一脚踢上这人的手。手拿不住刀，刀飞出。

孟星魂仿佛早已算准这把刀要飞往哪里，一伸手，就已将刀抄住。

他并没有使出什么奇诡的招式，他使用的每一个动作都很自然，就好像这一切本来就是很顺理成章的事，一点也不勉强。

因为他每一个动作都配合得很好，而且所有的动作仿佛是在同一瞬间发生的。

现在他手里虽有了一把刀，但花丛中藏着的刀显然更多。

他身子还未落下，又有刀光飞起。

突听一人喝道：“住手！”

这声音似比神鬼的魔咒都有效，刀光只一闪，就突又消失。

花园中立刻又恢复平静，又变得“没有人，没有声音，没有戒备”，只有花香在风中飘动。

但孟星魂却知道老伯已来了。

只有老伯的命令才能如此有效。

他身子落下时，就看到老伯。

老伯身后虽还有别人，但他只看到老伯，老伯无论站在多少人中间，你第一眼总是先看到他。

他穿着件淡色的布袍，背负着双手，神情安详而悠闲，只有一双眸子在夜色中灼灼发光，上下打量了孟星魂两眼，淡淡地笑了笑，道："这位朋友好俊的身手！"

孟星魂冷笑道："我这副身手本来是准备交给你的，但现在……"

老伯道："现在怎么样？"

孟星魂道："现在我才知道老伯用什么法子对待朋友，我实在很失望。"

他冷笑着转身，竟似准备走了。

老伯笑了，道："你好像将我这地方看成可以让你说来就来，说走就走的。"

孟星魂回过头，怒道："我偷了你什么？"

老伯道："没有。"

孟星魂道："我杀了你手下的人？"

老伯道："也没有。"

孟星魂道："那么我为何不能走？"

老伯道："因为我还不知你为何而来的。"

孟星魂道："我刚才说过。"

老伯微笑道："你若是想来交我这朋友的，就未免来得太不是时候，在半夜里到我这里来的，通常都是强盗小偷，绝不是朋友。"

孟星魂冷笑道："我若真想交朋友，从不选时候，我若想来杀你，也不必选时候。"

老伯道："为什么？"

孟星魂冷冷道："因为什么时候都一样，只有呆子，才会认为你在半夜中没有防备，就能杀得了你。"

老伯又笑了，回头道："这人像不像呆子？"他身后站着的是律香川和陆漫天。

律香川道："不像。"

孟星魂又冷冷笑道："我是呆子，我想不到老伯只有在白天才肯交朋友。"

老伯道："但你白天也来过，那时候为什么不交我这朋友？"

孟星魂的心一跳，他想不到老伯在满园宾客中，还能记住那么样一个平平凡凡的陌生人。

他心里虽然吃惊，面上却丝毫不动声色，淡淡道："那天我本不是来交朋友的。"

老伯道："你难道真是来拜寿的？"

孟星魂道："也不是，我只不过来看看，谁是我值得交的朋友，是你，还是万鹏王。"

老伯道："你为什么选了我？"

孟星魂道："因为我根本见不到万鹏王。"

老伯大笑，又回头道："你有没有发现这人有样好处？"

律香川微笑，道："他至少很坦白。"

老伯道："我想你一定还记得他的名字！"

律香川道："本来是记得的，但刚才忽然又忘了。"

老伯皱眉道："怎么会忽然忘记？"

律香川道："那时他既不想来交朋友，自然不会用真名字。既然不是真名字，又何必记住？"

老伯点点头，又问道："他所说的话你信不信？"

律香川道："他说的理由并不动听，但不动听的话通常是真的，除了呆子外，任何人说谎都会说得动听些。"

老伯道："你看他是不是呆子？"

律香川凝视着孟星魂，微笑道："绝不是的。"

孟星魂也在看着他，忽然道："我至少愿意交你这朋友，无论什么时候都愿意。"

老伯大笑，道："你的确不是呆子，你刚选了个好朋友。"

他拍了拍律香川的肩，道："带他回去，今天晚上我将客人让给你。"

陆漫天一直在盯着孟星魂，此刻忽然道："等一等，你还没有问他的名字。”

老伯微笑道：“名字可能是假的，朋友却不会假，我既已知道他是朋友，又何必再问名字？”

孟星魂看着他，忽然发现他的确是个很会交朋友的人。

无论他是在用手段，还是真心诚意，都一样能感动别人，令人对他死心塌地。

在这种人面前，很少有人能不说真话。

孟星魂能，他说的还是个假名字。

陆漫天道：“秦中亭？你是什么地方人？”

孟星魂道：“鲁东。”

陆漫天目光如鹰，在他面上搜索，又问道：“你是秦护花的什么人？”

孟星魂道：“堂侄。”

陆漫天道：“你最近有没有见过他？”

孟星魂道：“见过。”

陆漫天道：“他的气喘病是不是好了些？”

孟星魂道：“他根本没有气喘病。”

陆漫天点了点头，似乎觉得很满意。

孟星魂几乎忍不住要将这人当作笨蛋，无论谁都可以想到秦护花绝没有气喘病。

内家高手很少有气喘病。

用这种话来试探别人，非但很愚蠢，简直是可笑。

孟星魂的确想笑，但他听到陆漫天手里铁胆的相击声时，就发觉一点也不可笑了。

他忽然想到那天在快活林看见过这人，听见过他手捏铁胆的声音，他捏着铁胆走过小桥，每个人都对他十分尊敬。

那时孟星魂对他已有些好奇，现在终于恍然大悟。

要杀孙玉伯的人，原来就是他！

那天他到快活林去，为的就是要收买高老大手下的刺客。

现在他故意用这种可笑的问题来试探孟星魂，为的只不过是要加深老伯的信任，他显然早已知道孟星魂的身份。

这人非但一点也不可笑，而且很可怕。

朋友手里的刀，远比敌人手里的可怕，因为无论多谨慎的人，都难免会常常忘记提防它。

律香川的屋子精致而干净，每样东西都恰好在它应该在的地方，无论在什么地方都找不出一粒灰尘。

灯光很亮，但屋子里看来还是冷清清的，不像是个家。

没有女主人的屋子，永远都不是一个家。

律香川推开厅角的小门，道："你可以睡在这屋子里，床单和被子都是新换过的。"

孟星魂道："谢谢。"

律香川道："你现在一定很饿，是不是？"

孟星魂道："很饿，也很累，所以不吃也睡得着。"

律香川道："但吃了就睡得更好。"

他提起灯道："你跟我来。"

孟星魂跟着他，推开另一扇门，竟是间小小的厨房。

律香川已放下灯，卷起衣袖，带着微笑问道："你喜欢吃甜的，还是咸的？"

孟星魂道："我不吃甜的。"

律香川道："我也一样——这里还有香肠和风鸡，再来碗蛋炒饭好不好？"

孟星魂道："很好。"

他实在觉得很惊异，他想不到像律香川这种地位的人，还会亲自下厨房。

律香川似已看出了他目中的惊异之色，微笑着道："自从林秀走了之后，我每天都会在半夜起来，弄点东西吃。我喜欢自己动手，也许只有在厨房里的时候，我才会觉得真正轻松。"

孟星魂笑了，道："我没有下过厨房。"

他决定以后也要时常下厨房。

律香川从纱橱里拿出三个蛋，忽然道："你没有问林秀是谁？"

孟星魂道："我应该问吗？"

律香川显得有点心不在焉的样子，好像根本没有听见他在说什么，很久，才叹了口气，道："林秀以前是我的妻子。"

孟星魂道："现在呢？"

律香川又沉默了很久，徐徐道："她已经死了。"

他将三个蛋打在碗里。

他看来虽有点心神恍惚，但打蛋的手还是很稳定。

孟星魂忽然觉得他也是个很寂寞的人，仿佛很难找到一个人来吐露心事。

律香川慢慢地打着蛋，忽又笑了笑，道："你一定可以看得出，我很少朋友。一个人到了我这样的地位，就好像会忽然变得没有朋友了。"

孟星魂道："我懂。"

律香川道："现在我们一起在厨房里炒蛋，我对你说了这些话，我们好像已经是朋友，但以后说不定很快就会变了。"

他又笑了笑接道："你说不定会变成我的属下，也说不定会变成我竞争的对手，到那时我们就不会再是朋友了。"

孟星魂沉吟着，道："但有些事却是永远都不会变的。"

律香川道："哪些事？"

孟星魂笑笑道："譬如说，蛋和饭炒在一起，就一定是蛋炒饭，永远不会变成肉丝炒面的。"

律香川的笑容忽然开朗，道："我第一眼就看出你是一个值得交的朋友，只希望我们能像蛋炒饭一样，永远不要变成别的。"

"哧啦"一声，蛋下了油锅。

蛋炒饭又热又香，风鸡和香肠也做得很好。

孟星魂装饭的时候，律香川又从纱橱下拿出一小坛酒。

他拍碎泥封，道："你想先吃饭，还是先喝酒呢？"

孟星魂道："我不喝酒。"

律香川道："你有没有听人说过，不喝酒的人不但可怕，而且很难交朋友？"

孟星魂道："我只不过是今天不想喝！"

律香川盯着他，道："为什么？是不是怕在酒后说出真话？"

孟星魂笑笑道："有的人喝了酒后也未必会说真话。"

他开始吃饭。

律香川凝视着他，道："看来只要你一下决心，别人就很难令你改变主意。"

孟星魂道："很难。"

律香川笑了笑，道："你怎么下决心到这里来的？"

孟星魂没有回答，好像觉得这问题根本不必回答。

律香川道："你一定也知道，我们最近的运气并不好。"

孟星魂道："我的运气很好。"

律香川道："你相信运气？"

孟星魂道："我是一个赌徒，赌徒都相信运气的。"

律香川道："赌徒有好几种，你是哪种？"

孟星魂道："赌徒通常只有两种：一种是赢家，一种是输家。"

律香川道："你是赢家？"

孟星魂微笑，道："我下注的时候一向都押得很准。"

律香川也笑了，道："我希望你这一注也没有押错才好。"

他也没有喝酒，慢慢地吃了大半碗饭。

孟星魂笑道："我从来没有吃过这么香的蛋炒饭。你若改行，一定也是个好厨子。"

律香川道："若改行做赌徒呢？"

孟星魂道："你已经是赌徒，而且到现在为止，好像也一直都是赢家。"

律香川大笑，道："没有人愿意做输家，除非运气突然变坏。"

孟星魂叹了口气，道："只可惜每个人运气都有转坏的时候，这也许就是赌徒最大的苦恼。"

律香川道："所以我们就要乘手风顺的时候多赢一点，那么就算运气转坏了，输的也是别人的本钱。"

他站起来，拍了拍孟星魂的肩，又笑道："你还要什么？"

孟星魂道："现在我只想要张床。"

律香川道："像你这样的男人，想到床的时候，通常都还会联想到别的事。"

孟星魂道："什么事？"

律香川道："女人。"

他指了指旁边一扇门，道："你若想要女人，只要推开这扇门。"

孟星魂摇摇头。

律香川道："你根本用不着客气，更不必难为情，这本是很正常的事，就像肚子饿了要吃饭一样正常。"

孟星魂又摇了摇头。

律香川仿佛觉得有点惊异，皱眉道："你不喜欢女人？"

孟星魂笑笑，道："我喜欢，却不喜欢别人的女人。"

律香川目光闪动，道："你有自己的女人？"

孟星魂微笑着点点头。

律香川道："你对她很忠心？"

孟星魂又点点头。

律香川道："她值得？"

孟星魂道："在我心目中，世上绝没有比她更值得的女人。"

他本不愿在别人面前谈论自己的私事。

但这却是他最得意、最骄傲的事，男人通常都会忍不住要将这种事在朋友面前说出来，就好像女人绝不会将美丽的新衣藏在箱底。

律香川的脸色却有些变了，仿佛被人触及了心中的隐痛。

这是不是因为他曾经被女人欺骗？

过了很久，他才缓缓道："世上根本很少有真正值得你牺牲的女人。太相信女人的赌徒，一定是输家。"

他忽然又笑了笑，拍了拍孟星魂的肩，道："我只希望你这一注也没押错。"

窗纸已白。

第十四章

图穷匕现

孟星魂还没有睡着，他心里觉得又兴奋又恐惧，又有很多感慨。

他发觉老伯并不如想象中那么难以接近，也没有他想象中那么聪明。

老伯也是个人，并不是个永远无法击倒的神。

他一生以善交朋友自豪，却不知他最亲近的朋友在出卖他。孟星魂甚至有些为他觉得悲哀。

律香川也是个奇怪的人，他表面看来本极冷酷镇静，其实心里也似有很多不能向别人叙说的痛苦和秘密。

最奇怪的是，他居然好像真的将孟星魂当作自己的朋友，非但没有向孟星魂追查质问，反而在孟星魂面前吐露出一些心事。

这令孟星魂觉得很痛苦。

他不喜欢出卖一个将他当朋友的人，但却非出卖不可。

想到小蝶时，他心里开始觉得幸福温暖。

她现在在做什么？

是不是已抱着孩子入了睡乡？还是在想着他？

想到她一个人孤零零的，守候在一个又破又冷的小屋里，等着他，想着他，孟星魂心里不禁觉得有些刺痛，有些酸楚。

他发誓，只要这件事一做完，他就立刻回到她身边去。

他发誓，以后一定全心全意地对她，无论为了什么，都不再离开她。

他想到律香川的话。

“世上根本很少有值得牺牲的女人。”

他并不在意，因为他知道律香川并不了解她，他相信等到律香川认得她的时候，对她的看法就会改变了。

只可惜律香川永远不会认得她。

孟星魂叹了口气，心里忽然平静。因为他终于有了个值得他忠实的人，而相信她对他也同样忠实。

“男人能有个这么样的女人，真是件好事。”

他平静，因为他不再寂寞。

逐渐发白的窗纸突然轻轻一响。

孟星魂立刻像猫般跃起，掠到窗前。

推开窗，他就看到乳白色的晨雾中，淡黄色的花丛后，有个人正在向他招手。

陆漫天。

陆漫天终于现身了。

孟星魂掠入菊花丛，赤着脚站在干燥的土地上，地上的露水很冷。

陆漫天的目光更冷，瞪着他，瞪了很久，才沉声道：“你已知道我是谁？”

孟星魂点点头。

陆漫天道：“你是谁？”

孟星魂道：“你也应该知道我是谁。”

陆漫天又瞪了他很久，终于也慢慢地点点头，道：“你为什么到现在才来？半个月之前，你已应该在这里了。”

孟星魂道：“那么现在我也许在棺材里。”

陆漫天突然笑笑，道：“你很小心。”

孟星魂道：“我从不冒险，所以我还活着。”

陆漫天道：“其实你本不必如此小心，有我在这里照顾，你还怕什么？”

他的脸在雾中看来宛如死人，笑起来比不笑时更难看。

孟星魂心中忽然涌出一种厌恶之意，冷冷说道：“你本是老伯的好朋友，我真没有想到你会出卖他。”

陆漫天居然神色不变，淡淡道：“有些事你还不懂，这就是人生，一个人若想爬得高些，有时就不能不从别人头上踩过去。”

孟星魂道：“我的确不懂，也不想懂。”

陆漫天道：“高老大没有告诉你？”

孟星魂摇摇头。

陆漫天道：“你知不知道你是来做什么的？”

孟星魂点点头。

陆漫天道：“很好，你准备什么时候动手？”

孟星魂道：“等机会来的时候。”

陆漫天道：“没有机会，永远没有，老伯绝不会给任何人机会，再等十年，也是白等。”

陆漫天道：“所以你根本不必等，无论什么时候都可以制造机会的。”

孟星魂道：“你要我什么时候动手？”

陆漫天道：“今天。”

孟星魂动容道：“今天？”

陆漫天道：“今天黄昏。”

他转身走出去，缓缓接着道：“有些事非但绝不能等，而且一定要快，愈快愈好！这就叫迅雷不及掩耳。”

孟星魂跟着他，听着陆漫天道：“老伯喜欢花，每个黄昏都要到园子里遛遛，看看花，这是他的习惯，几十年来从未有一天间断。”

孟星魂道：“他一个人？”

陆漫天道：“他从来不要别人陪他，因为他总是利用这段时候，一个人静静地思考，有很多大事都是他在这段时候里决定的。”

孟星魂道：“但园里一定还是埋伏着暗卡。”

陆漫天点点头，忽然在一丛菊花前停下，道：“他每天都要逛到这里才回头。”

孟星魂道：“这里就有暗卡？”

陆漫天道：“有，但我可以叫它没有。”

他忽然蹲下去，伸手拔一株菊花。

这株菊花竟是活的，被他一拔，就连根而起。

下面竟有个小小的洞穴。

陆漫天道：“你下去试试。”

孟星魂道：“用不着试，我可以下去。”

陆漫天道："好，今天黄昏，你就躲在这里，带着你的兵器。"

他忽又问道："你以前用什么杀人的？"

孟星魂道："看情形。"

陆漫天道："像这种情形呢？"

孟星魂道："用暗器。"

陆漫天道："什么暗器？"

孟星魂道："够快、够准、够狠的暗器。"

陆漫天面上露出满意之色，道："好，老伯看花的时候，常常很专心，而且，这是他自己的地盘，他绝对想不到会有人暗算他。"

孟星魂道："我得手的机会有多大？"

陆漫天道："至少有七成机会，除非你——"

孟星魂打断了他的话，道："七成机会已足够，通常有五成机会时，我已可以下手。"

陆漫天道："听说你从未失手过。"

孟星魂淡淡地一笑，道："问题并不在有几成机会，而在你能把握机会，若是真的能完全把握住机会，一成机会也已足够。"

陆漫天长长吐出一口气，微笑道："看来我并没有找错人。"

孟星魂道："你没有。"

陆漫天道："你还有什么问题？"

孟星魂道："我什么时候来？来的时候是不是绝不会有人看到？"

陆漫天笑道："问得好。"

他将拔起的菊花又埋下，才接着道："这里晚饭开得很早，开饭时会有铃声，那时你无论在哪里，一听到铃声，就立刻要赶来。"

孟星魂道："立刻？"

陆漫天道："立刻！连一眨眼的工夫都耽误不得，我只能负责在那片刻间绝不会有人看到你。"

他一字字接着道："你若耽误了，非但误了大事，你自己也得死！"

孟星魂擦净了脚上的土，又躺回床上。

现在一切事都已决定，只等着最后一击，就好像龙已画成，只等点睛。

事情的发展非但远比他想象中快，而且也远比他想得容易，他本该很满意才是。

但也不知道为了什么，他心里反而有些不安，总觉得这件事好像有点不对。

究竟什么地方不对呢？他自己弄不清楚。

一切事的安排都很妥当周密，也许只不过安排得太容易了些。而且是别人替他安排好的。

他做事一向都由自己来安排决定，从没有人替他出过一分力。

他从不愿将自己的命运交在别人手上。他更不愿太信任陆漫天。

“但这件事的主谋本来是他，想杀老伯的也是他，他完全没有理由出卖我，我更没有理由怀疑他的。”

孟星魂只有尽量使自己安心，因为他根本没有别的事可做。他只有等，等到黄昏——

正午。

老伯在午饭的时候，总喜欢找几个人来聊聊。他认为在这种闲谈中非但能发现很多事，也能决定很多事。

能跟老伯吃饭的人，定然都是他很接近、很信任的朋友。

今天却有个例外。

孟星魂居然也被请到他午饭桌上。

老伯吃得很简单，午饭通常只有四菜一汤，而且是很清淡的菜。

他认为老年人不能吃得太油腻。

但今天也是例外。

今天桌上居然多了一只鸡，一碗肉。

老伯微笑着道：“年轻人都喜欢吃肉，我年轻时也喜欢吃肉，吃肉才有劲，两天不吃肉，我做事就会觉得提不起精神来。”

孟星魂在吃肉，他绝不客气。

老伯看着他，目中带着笑意，忽又道：“你以前在船上的时候，伙食好不好？”

孟星魂道：“还不错。”

老伯道：“做菜的厨子一定也是南方人吧！我总觉得南方菜比北方

菜精致。”

孟星魂道：“我们那条船上厨子有三个，只有一个姓吴的是闽南人，其余两个却是不折不扣的关东大汉，所以我们吃的南方菜、北方菜都有。”

他面上虽不动声色，心里却在捏着把冷汗。

他发觉老伯在这短短半天中，一定已将“秦中亭”的底细调查得一清二楚。若不是高老大给他的数据极为完整，他此刻已露出马脚。

老伯问得虽轻描淡写，但只要他答错一句话，就休想活着吃完这顿饭。

孟星魂一句话也没有答错。

他吃完这顿饭。但这顿饭吃得并不舒服，他简直不知道吃的是些什么，只觉裤裆凉凉的，好像已被冷汗湿透。

律香川坐在他旁边一直很少说话，直到吃过饭走出门，走上菊花丛的小路，才微笑道：“老伯刚才叫我带你到四处看看，你懂得他的意思吗？”

孟星魂摇摇头，最近他好像常常摇头，他已学会装傻。

律香川道：“他的意思就是说，从此你差不多就是我们的自己人了。”

孟星魂道：“差不多？”

律香川道：“只差一点。”

孟星魂道：“哪一点？”

律香川道：“你还没有为他杀过人。”

他笑笑，接着道：“但是你不必着急的，这种机会随时会有。”

孟星魂也笑笑，道：“却不知哪种机会比较多些？是杀人，还是被谋杀？”

律香川沉默了半晌，笑得已有些苦涩，缓缓道：“不是杀人，就是被杀，有些人他本来简直以为他永远不会死的，但忽然间，他却被人杀了，到那时你才会想到，杀人和被杀的机会原来一样多。”

孟星魂道：“你本来是不是从未想到孙剑也会被杀？”

律香川脸色变了变，道：“你知道他？”

孟星魂道：“孙剑被杀的事，在江湖中早已不是秘密。”

律香川长长叹了口气，苦笑道："不错，这是十二飞鹏帮最光荣的战绩，他们当然唯恐别人不知道。"

孟星魂目光闪动，道："易潜龙叛变的事，也已不是秘密。"

律香川又沉默了半晌，冷冷道："他没有叛变，他不是叛徒。"

孟星魂道："不是？"

律香川冷笑道："他还不配做叛徒。做叛徒要有胆子，他只不过是个懦夫，是个孬种。"

孟星魂道："孬种？"

律香川道："他本是老伯最信任的朋友，但他知道老伯有危险时，立刻就溜了，带着老伯给他的几百万家财溜了。"

孟星魂道："你们为什么不去找他？"

律香川道："我们找过，却找不着。据说他已溜到海外的扶桑岛上，他老婆本是扶桑一个浪人的女儿。"